# Beatrice en Vergilius

Uitgeverij Prometheus stelt alles in het werk om op milieuvriendelijke en duurzame wijze met natuurlijke bronnen om te gaan. Bij de productie van dit boek is gebruikgemaakt van papier dat het keurmerk van de Forest Stewardship Council (FSC) mag dragen. Bij dit papier is het zeker dat de productie niet tot bosvernietiging heeft geleid.

Yann Martel

# Beatrice en Vergilius

Vertaald door Marijke Versluys



2010 Prometheus Amsterdam

De vertaalster ontving voor deze vertaling een werkbeurs van het Nederlands Letterenfonds.

De fragmenten uit 'De legende van de heilige Julianus de Gastvrije' zijn vertaald door Hans van Pinxteren en met medewerking van Uitgeverij L.J. Veen overgenomen uit Gustave Flauberts bundel *Drie vertellingen* (Amsterdam, 1988).

Oorspronkelijke titel *Beatrice and Virgil*

Omslagontwerp Andy Bridge/DPS
Foto auteur Geoff Howe
Zetwerk Mat-Zet B.V., Soest
www.uitgeverijprometheus.nl
ISBN 978 90 446 1623 1

Henry's tweede roman, evenals zijn eerste onder pseudoniem geschreven, had het goed gedaan. Het boek had prijzen gewonnen en was in tientallen talen vertaald. Henry werd overal op de wereld uitgenodigd voor boekpresentaties en literaire festivals, talloze scholen en leesclubs hadden het werk omarmd, in het vliegtuig en in de trein zag hij geregeld mensen die het zaten te lezen, Hollywood was van plan het te verfilmen, en zo voort en zo verder.

Henry zette zijn in wezen normale, anonieme leven voort. Schrijvers worden zelden publieke figuren. Hun bóeken eisen alle publiciteit op, en terecht. Lezers herkennen het omslag van een boek dat ze hebben gelezen moeiteloos, maar in een café: is die man daar, is dat... is dat... Hmm, het is niet goed te zien – die heeft toch lang haar? – o, hij is alweer weg.

Henry vond het helemaal niet erg om herkend te worden. Hij had prettige ervaringen opgedaan met lezers. Per slot van rekening hadden zulke mensen zijn boek gelezen en dat had iets teweeggebracht, want waarom kwamen ze anders naar hem toe? De ontmoeting bezat een zekere intimiteit: twee onbekenden troffen elkaar, maar om te praten over iets buiten hen, een geloofsobject waardoor ze beiden waren geraakt, en dat slechtte dan ook alle barrières. Voor onoprechtheid en hoogdravendheid was geen plaats. Ze dempten hun stem, bogen zich dicht naar hem toe, onthulden veel over zichzelf. Soms volgden er persoonlijke ontboezemingen. Een lezer vertelde Henry dat hij de roman in de gevangenis had gelezen. Een lezeres dat ze het had gelezen terwijl ze vocht tegen kanker. Een vader vertrouwde hem toe dat zijn vrouw en hij elkaar het boek hadden voorgelezen nadat hun kind te vroeg was geboren en uiteindelijk was overleden. En er waren nog meer van dergelijke ontmoetingen. In alle gevallen had een element uit zijn roman – een zin, een personage, een voorval, een symbool – iemand door een moeilijke periode heen geholpen. Sommigen van de lezers die Henry ontmoette werden heel emotioneel. Telkens weer raakte hem dat, en hij deed zijn best zo te reageren dat ze er troost uit konden putten.

Maar meestal wilden de lezers slechts uiting geven aan hun waardering en bewondering, wat af en toe gepaard ging met een tastbaar aandenken, een gekocht of zelfgemaakt cadeautje: een kiekje, een boekenlegger, een boek. Soms zaten ze met een paar vragen die ze graag wilden stellen, bescheiden, want ze wilden niet lastig zijn. Ze waren dankbaar voor elk antwoord dat hij gaf. Ze namen het boek dat hij had gesigneerd in ontvangst en hielden het met beide handen tegen zich aan. De brutaleren onder hen, doorgaans maar niet altijd tieners, vroegen wel eens of ze samen met hem op de foto mochten. Met zijn arm om hun schouder stond Henry dan lachend in de camera te kijken.

De lezers vertrokken met een stralend gezicht omdat ze hem hadden ontmoet, terwijl zijn gezicht straalde omdat hij hen had ontmoet. Henry had een roman moeten schrijven om een leegte vanbinnen op te vullen, een vraag te beantwoorden, een doek te beschilderen – die mengeling van onzekerheid, nieuwsgierigheid en vreugde die aan de wieg van de kunst staat – en hij had de leegte opgevuld, de vraag beantwoord en kleur op het doek gesmeten, allemaal voor zichzelf, uit pure noodzaak. Vervolgens zeiden volslagen onbekenden tegen hem dat zijn boek bij hén een leegte vanbinnen had opgevuld, een vraag had beantwoord, kleur in hun leven had gebracht. De troost van vreemden – hetzij een glimlach, een schouderklopje of een woord van lof – is de ware troost.

En roem? Roem deed hem niets. Roem was een andere sensatie dan liefde of honger of eenzaamheid, die binnenin opwellen en voor een buitenstaander onzichtbaar zijn. Roem stond eigenlijk volkomen buiten hem, ontsproot aan het brein van anderen, en was af te lezen aan de manier waarop de mensen naar hem keken of zich tegenover hem gedroegen. In dat opzicht was beroemd zijn niet anders dan homo of joods zijn, of tot een zichtbare minderheid behoren: je bent wie je bent, maar vervolgens projecteert men een vooringenomen idee op je. In wezen bleef Henry door het succes van zijn roman onveranderd. Hij was nog dezelfde als daarvoor, met dezelfde sterke en dezelfde zwakke kanten. In het zeldzame geval dat hij op een onplezierige manier door een lezer werd aangesproken, beschikte hij over het laatste wapen van de onder pseudoniem werkende schrijver: nee, hij was x niet, maar hij heette toevallig ook Henry.

Na verloop van tijd hoefde Henry niet meer op pad om zijn boek te promoten en pakte hij de draad weer op van een bestaan dat hem in staat stelde weken en maanden achtereen rustig in een kamer te zitten. Hij schreef weer een boek. Dat kostte vijf jaar denkwerk, research, schrijven en herschrijven. Het lot van dat boek is niet onbelangrijk voor wat Henry vervolgens overkwam, dus het is een beschrijving waard.

Het boek dat Henry schreef bestond uit twee delen, en hij was van plan die te laten verschijnen als *flipbook*, zoals dat wel wordt genoemd, dat wil zeggen een boek dat bestaat uit twee aparte gedeelten met een gemeenschappelijke rug, ondersteboven tegen elkaar. Als je zo'n flipbook doorbladert staat de tekst halverwege opeens ondersteboven. Draai je het dubbelboek om, dan kom je bij de tweelingbroer. Vandaar dat ook de benaming omdraaiboek wel wordt gebruikt.

Henry had die ongebruikelijke vorm gekozen omdat hij de beste presentatievorm zocht voor twee literaire producten die dezelfde titel deelden, hetzelfde thema en dezelfde problematiek, maar niet dezelfde werkwijze. In feite had hij twee boeken geschreven: het ene was een roman, terwijl het andere tot de non-fictie behoorde, een essay. Hij had het onderwerp van zijn keuze van twee kanten benaderd omdat hij alle beschikbare middelen nodig dacht te hebben om het te kunnen behandelen. Maar fictie en non-fictie worden slechts heel zelden in een en hetzelfde boek uitgegeven. Daar wrong de schoen. De traditie wil dat de twee genres gescheiden worden gehouden. Op die manier worden onze kennis en levensindrukken geordend in boekwinkels en bibliotheken – aparte gangpaden, aparte verdiepingen – en op die manier bereiden uitgevers hun boeken voor: de verbeelding in het ene fonds, de rede in het andere. Het is niet de manier waarop schrijvers schrijven. Een roman is niet een geheel redeloze schepping, en een essay is niet verstoken van verbeelding. Bovendien leven de mensen ook niet zo. De mensen brengen in hun denken en doen niet zo'n strenge scheiding aan tussen het verbeeldingsvolle en het verstandelijke. Er zijn waarheden en er zijn leugens – dat zijn de hogere categorieën, niet alleen in boeken, maar ook in het leven. Het is nuttiger om onderscheid te maken tussen fictie en non-fictie die de waarheid spreken, en fictie en non-fictie die leugens debiteren.

Niettemin stelde die gewoonte, die starre denkwijze, hem voor een probleem, besefte Henry. Als zijn roman en zijn essay afzonderlijk werden uitgegeven, als twee boeken, zou niet zo duidelijk zijn dat ze elkaar aanvulden en zou de synergie ervan waarschijnlijk verloren gaan. Ze moesten in één band worden uitgegeven. Maar in welke volgorde? Het idee om het essay vóór de roman te zetten vond Henry onaanvaardbaar. Omdat fictie dichter bij de belevingswereld staat, zou die voorrang moeten krijgen boven non-fictie. Juist verhalen – persoonlijke verhalen, familieverhalen, volksverhalen – hechten de ongelijksoortige elementen van het menselijk bestaan aaneen tot een samenhangend geheel. Wij zijn verhalen vertellende dieren. Zo'n hoogstaande uiting van ons wezen hoort niet weggestopt te worden achter een beperktere verkenning door de rede. Maar serieuze non-fictie berust op hetzelfde feit en dezelfde preoccupatie als fictie – namelijk menszijn en wat dat betekent – dus waarom zou het essay als een nawoord moeten worden toegevoegd?

Indien de roman en het essay na elkaar in één boek werden uitgegeven, zou nummer twee onvermijdelijk in de schaduw worden gesteld door nummer één, ongeacht hun respectievelijke verdiensten.

De overeenkomsten tussen de roman en het essay pleitten voor een gezamenlijke uitgave, de rechten van beide genres voor een afzonderlijke. Vandaar de keuze, na rijp beraad, voor het flipbook.

Toen hij eenmaal tot die opzet had besloten zag hij opeens nog meer voordelen. De gebeurtenis die aan zijn boek ten grondslag lag was, en is nog steeds, diep schrijnend – de hele wereld was erdoor op zijn kop gezet, zou men kunnen zeggen – dus was het heel toepasselijk dat ook het boek altijd half op zijn kop lag. Als het als flipbook werd uitgegeven zou de lezer bovendien moeten kiezen in welke volgorde hij het las. Lezers die geneigd zijn steun en bevestiging in de rede te zoeken begonnen wellicht met het essay. Degenen die zich prettiger voelen bij de directere gevoelsmatige benadering van fictie lazen misschien liever eerst de roman. In beide gevallen mocht de lezer dat zelf uitmaken, en mondigheid, de mogelijkheid om zelf te kiezen, is een goede zaak als het gaat om verontrustende kwesties. Ten slotte nog een detail: een flipbook heeft twee voorkanten. Henry beschouwde het omslagontwerp als meer dan alleen een toegevoegde verfraaiing. Een flipbook heeft twee voordeuren maar geen uitgang. Die vorm belichaamt de idee dat er voor het behandelde thema geen oplossing is, dat het niet keurig netjes wordt afgesloten met een achterflap. Eigenlijk is men nooit klaar met het probleem: de lezer wordt steeds weer naar een middenpagina gelodst, om daar te verstaan te krijgen – omdat de tekst dan op zijn kop verschijnt – dat hij of zij het niet heeft begrepen, dat hij of zij het niet helemaal kán begrijpen maar de zaak op een andere manier opnieuw moet overdenken en van voren af aan moet beginnen. Met dat in zijn achterhoofd bedacht Henry dat de twee boeken op dezelfde pagina zouden moeten eindigen, met alleen een stukje wit tussen de omgekeerde teksten. Misschien zou er in dat niemandsland tussen fictie en non-fictie een eenvoudige tekening passen.

Het verwarrende is dat flipbook ook een benaming is voor zo'n boekje met op elke pagina een telkens net iets andere afbeelding of foto: bij snel doorbladeren ontstaat de illusie van beweging, bijvoorbeeld van een galopperend en springend paard. Later had Henry ruimschoots de tijd om erover na te denken welk beeldverhaal zijn flipbook zou vertellen als het tot die categorie had behoord: het zou gaan over een man die zelfverzekerd en met opgeheven hoofd voortstapt, tot hij op spectaculaire wijze misstapt, struikelt en ten val komt.

Omdat het een centrale rol vervult bij de problemen waar Henry op stuitte, bij de misstap, de struikeling en de val, mag niet onvermeld blijven dat zijn omdraaiboek ging over de moord op miljoenen joodse burgers – mannen, vrouwen en kinderen – door de nazi's en hun talrijke bereidwillige medewerkers in het Europa van de vorige eeuw, over die gruwelijke, langdurige uitbraak van jodenhaat die alom bekendstaat, op grond van een vreemde conventie die zich een religieuze term heeft toegeeigend, als de Holocaust. Henry's dubbelboek ging met name over de manieren waarop die gebeurtenis in verhalen voorkwam.

In de vele jaren dat Henry boeken had gelezen en films had bekeken, was het hem opgevallen hoe weinig echte fictie er over de Holocaust bestond. De gebruikelijke invalshoek was vrijwel altijd historisch, feitelijk, documentair, anekdotisch en letterlijk; het waren getuigenisverhalen. Het archetypische document over de gebeurtenis bestond uit de herinneringen van overlevenden, zoals *Is dit een mens* van Primo Levi. Van oorlogen – om nog een rampzalige gebeurtenis voor de mens te nemen – werd daarentegen voortdurend iets anders gemaakt. De oorlog werd steeds weer getrivialiseerd, dat wil zeggen minder erg gemaakt dan hij in werkelijkheid is. Tijdens moderne oorlogen zijn tientallen miljoenen mensen gedood en hele landen verwoest, maar uitbeeldingen van de ware aard van oorlog moeten grote moeite doen om te worden gezien, gehoord en gelezen te midden van de oorlogsthrillers, de oorlogssatires, de oorlogsromans, de oorlogssciencefiction, de oorlogspropaganda. Maar wie denkt er in één adem aan 'trivialiseren' en 'oorlog'? Is daar door een veteranenorganisatie ooit over geklaagd? Nee, want zo praten we nu eenmaal over de oorlog, op vele manieren en voor vele doeleinden. Al die uiteenlopende uitbeeldingen verschaffen ons inzicht in wat oorlog voor ons betekent.

Nooit werd een dergelijke dichterlijke vrijheid genomen met – noch gegund aan – de Holocaust. Die angstaanjagende gebeurtenis werd allesoverheersend vertegenwoordigd door één school: het historisch realisme. Het verhaal, altijd hetzelfde verhaal, werd altijd omlijst met dezelfde jaartallen, gesitueerd in dezelfde plaatsen, met dezelfde personages in dezelfde rollen. Er waren uitzonderingen. Dan dacht Henry bijvoorbeeld aan *Maus* van de Amerikaanse striptekenaar Art Spiegelman. Ook *Zie: liefde* van David Grossman had een andere invalshoek. Maar zelfs daar werd de lezer door het eigenaardige gewicht van de gebeurtenis weer naar de oorspronkelijke, de droge historische feiten getrokken. Als een verhaal later of elders begon, werd de lezer onontkoombaar in de tijd en over de grenzen teruggevoerd naar 1943 en naar Polen, net als de hoofdpersoon in *De pijl van de tijd* van Martin Amis. Henry begon zich dan ook af te vragen: vanwaar die argwaan tegenover de verbeelding, vanwaar dat verzet tegen de vernuftige metafoor? Een kunstwerk heeft effect omdat het waarachtig is, niet omdat het echt is. Was het niet gevaarlijk om in uitbeeldingen van de Holocaust altijd maar schatplichtig te blijven aan de feiten? Tussen al die teksten waarin verteld werd wat er was gebeurd, die onmisbare en noodzakelijke dagboeken, autobiografieën en geschiedenissen, was toch zeker wel een plaatsje voor het commentaar van de verbeelding. Andere gebeurtenissen in de geschiedenis, ook gruwelijkheden, waren door kunstenaars aan de orde gesteld, en de wereld was erdoor verrijkt. Om maar eens drie bekende voorbeelden te noemen: Orwell met *Dierenboerderij*, Camus met *De pest* en Picasso met *Guernica*. In alle gevallen had de kunstenaar een ingrijpende, verstrekkende tragedie genomen, de kern ervan opgespoord en die op een vrije, overzichtelijke manier weergegeven. De logge last van de geschiedenis was in een koffer gepakt. De kunst als koffer: licht, draagbaar en onontbeerlijk – was een dergelijke behandeling niet mogelijk, nee, misschien wel geboden, als het ging om de immense tragedie van de Europese joden?

Om deze aanvulling op de manier van denken over de Holocaust toe te lichten en te beargumenteren had Henry zijn roman en zijn essay geschreven. Daar had hij vijf jaar noeste arbeid in gestoken. Nadat hij het dubbelmanuscript had voltooid deed het de ronde onder zijn uitgevers. En vervolgens werd hij uitgenodigd voor een lunch. Denk even aan de man in het flipbook die misstapt, struikelt en valt. Speciaal voor die lunch werd Henry van over de Atlantische Oceaan ingevlogen. De lunch vond plaats in het voorjaar, tijdens de London Book Fair. Henry's redacteuren, vier in getal, hadden ook een historicus en een boekverkoper uitgenodigd, wat Henry opvatte als een teken van dubbele goedkeuring: theoretisch en commercieel. Hij had geen idee wat hem te wachten stond. Het was een chic restaurant in art-decostijl. Door de elegante ronding van de lange zijden had hun tafel de vorm van een oog. Aan de muurkant was een bank met eenzelfde ronding ingebouwd. 'Als jij nu eens daar ging zitten?' opperde een van zijn redacteuren, en hij wees naar het midden van de bank. Ja, dacht Henry, waar zou een auteur met een nieuw boek anders moeten zitten, als bruid en bruidegom op de ereplaats. Links en rechts van hem installeerde zich een redacteur. Tegenover hen, op de vier stoelen langs de gebogen tafelrand, werden de historicus en de boekverkoper geflankeerd door een redacteur. De sfeer was gemoedelijk, de formele opstelling ten spijt. De ober bracht de menukaarten en vertelde iets over de exquise dagspecialiteiten. Henry was in opperbeste stemming. Hij beschouwde zijn disgenoten als bruiloftsgasten.

In werkelijkheid vormden ze een vuurpeloton.

Normaal gesproken weten redacteuren een auteur met vleierij zover te krijgen dat hij inziet wat er allemaal niet deugt aan zijn boek. Achter elk compliment schuilt een punt van kritiek. Het is een diplomatieke werkwijze, bedoeld om een boek beter te maken zonder de geestkracht van de schrijver te knakken. En nadat ze hun lunch hadden besteld en wat gemeenplaatsen hadden gewisseld, begon dan ook het offensief van de complimenteuze bijvoeglijke naamwoorden die dwingende suggesties verhulden, zoals het bos van Birnam optrekt naar kasteel Dunsinane in *Macbeth*. Maar Henry was een argeloze veldheer. Hij hoorde domweg niet wat ze zeiden. Lachend wuifde hij hun steeds venijniger vragen weg. Hij zei: 'Jullie reageren precies zoals de lezers zullen reageren: met vragen, opmerkingen en bezwaren. En zo hoort het ook. Een boek is onderdeel van de gesproken taal. De kern van mijn boek is een onvoorstelbaar schokkende gebeurtenis die alleen in dialogen kan overleven. Laten we er dus over praten!'

Uiteindelijk was het de boekverkoper, een Amerikaanse boekverkoper in Londen, die Henry als het ware naar zich toe trok om hem ongezouten en ondubbelzinnig de waarheid onder de neus te wrijven: 'Essays zijn een grote ergernis,' zei hij. Henry vermoedde dat hij doelde op zijn verkoopervaringen aan beide zijden van de Atlantische Oceaan, maar misschien ook wel op zijn kritische ervaringen als lezer. 'Vooral als je een heilige koe als de Holocaust aanpakt. Om de zoveel tijd verschijnt er wel een holocaustboek dat aan gevoelige snaren rukt' – zo verwoordde de boekverkoper het – 'en dan reiken de verkoopcijfers tot in de hemel, maar tegenover zo'n werk staan wagonladingen andere boeken die uiteindelijk worden verpulpt. En met jouw benadering, en dan heb ik het niet alleen over dat flipbookgedoe, maar ook over dat idee van jou dat we onze hele verbeeldingskracht zouden moeten loslaten op de Holocaust – holocaustwesterns, holocaustsciencefiction, holocaustcomedy's over Jamaicaanse bobsleeteams – ik bedoel maar, waar moet dat heen? En dan wil je er ook nog een flípbook van maken, wat niet veel meer dan een gimmick is, genre moppenboek, en, ik weet het niet hoor, volgens mij zou dat flipbook van jou wel eens een groot flopboek kunnen worden. Flip-flop, flip-flop, flip-flop,' besloot hij, net op het moment dat de eerste gang werd geserveerd: een arrangement kleine schaaltjes met overdreven verfijnde hapjes.

'Ik snap wat je bedoelt,' antwoordde Henry nadat hij een paar keer met zijn ogen had geknipperd en iets had weggeslikt dat aanvoelde als een grote goudvis, 'maar we kunnen niet steeds maar dezelfde benadering kiezen. Zou het juist niet de aandacht trekken omdat dit helemaal nieuw is voor een *serieus* boek, zowel wat inhoud als vorm betreft? Is dat geen goed verkoopargument?'

'Waar zie je het boek in de schappen staan?' vroeg de boekverkoper, die met open mond zat te eten. 'Bij de fictie of bij de nonfictie?'

'Liefst bij allebei,' antwoordde Henry.

'Vergeet het maar. Dat zaait verwarring. Weet je hoeveel boeken een boekwinkel te verwerken krijgt? En als we erop moeten letten of het wel met de goede kant naar voren ligt, is het eind zoek. En waar moet de streepjescode komen? Die staat altijd achterop. Waar moet je een streepjescode zetten als een boek twee voorkanten heeft?'

'Dat weet ik niet,' zei Henry. 'Op de rug.'

'Te smal.'

'Aan de binnenkant van het omslag.'

'Je kunt van kassamedewerkers niet verlangen dat ze het boek openslaan om ernaar te zoeken. En stel dat het boek in plastic verpakt zit?'

'Op een buikbandje dan.'

'Die scheuren en vallen eraf. En dan heb je helemaal geen streepjescode meer – een nachtmerrie.'

'Dan weet ik het ook niet. Ik heb me bij het schrijven van mijn boek over de Holocaust echt niet zitten afvragen waar die stomme stréépjescode moest komen.'

De boekverkoper draaide met zijn ogen. 'Ik wil je alleen maar helpen bij de verkoop van je boek.'

'Wat Jeff volgens mij duidelijk wil maken' – een van Henry's redacteuren schoot te hulp – 'is dat er met het boek bepaalde problemen zijn, praktisch en conceptueel, waar iets aan gedaan moet worden. In je eigen belang,' zei ze nadrukkelijk.

Henry scheurde een stukje brood af en haalde het driftig door een tapenade van olijven die afkomstig waren uit een exclusief, zes bomen tellend olijfbosje in een uithoek van Sicilië. Zijn oog viel op de asperges. De ober had een omstandige uiteenzetting gegeven over het sausje: culinair hoogstandje, verfijnde ingrediënten, enzovoort. Eén likje van het spul en je mocht je zo te horen bijna doctor noemen. Henry spietste een asperge, slierde ermee door de roze druppels en stopte hem in zijn mond. Hij was zo afgeleid dat hij alleen maar groene papperigheid proefde.

'Laten we het eens anders benaderen,' zei de historicus. Hij had een vriendelijk gezicht en een rustgevende stem. Hij hield zijn hoofd scheef en tuurde over zijn bril heen naar Henry. 'Waar gaat je boek over?' vroeg hij.

Henry raakte in verwarring. Een voor de hand liggende vraag misschien, maar niet een die hij zomaar even kon beantwoorden. Per slot van rekening is dat de reden dat mensen boeken schrijven: om uitgebreide antwoorden op korte vragen te geven. Daar kwam nog bij dat de boekverkoper hem van zijn stuk had gebracht. Henry haalde diep adem en vermande zich. Hij deed zijn best om naar behoren antwoord te geven op de vraag van de historicus, maar het kwam er stamelend en omslachtig uit. 'Mijn boek gaat over de manier waarop de Holocaust wordt voorgesteld. De gebeurtenis is voorbij, ons resten alleen de verhalen erover. Mijn boek pleit voor een nieuw soort verhalen. Als het gaat om een historische gebeurtenis moeten we niet alleen getuigenis afleggen, namelijk vertellen wat er is gebeurd en de noden van de schimmen verlichten. We moeten ook interpreteren en conclusies trekken, om de noden te verlichten van de mensen van nú, de kinderen van die schimmen. We hebben niet alleen behoefte aan de kennis die de geschiedschrijving biedt, maar ook aan het inzicht dat de kunst biedt. Verhalen constateren feiten, leggen verbanden, geven betekenis. Net zo goed als muziek zinvolle herrie is en een schilderij zinvolle kleur, zo is een verhaal zinvol leven.'

De historicus wimpelde Henry's woorden weg. 'Ja, ja, dat kan wel zijn.' Hij staarde hem nog indringender aan. 'Maar waar gáát je boek over?'

Inwendig begon Henry te zinderen van de zenuwen. Hij gooide het over een andere boeg: het idee achter het flipbook. 'De scheidslijn tussen fictie en non-fictie is niet zo eenvoudig te trekken. Fictie is misschien niet waar, maar wel waarachtig, fictie kijkt achter de opgesmukte feiten naar de emotionele en psychologische waarheden. Wat non-fictie betreft, de geschiedenis, die is misschien wel waar, maar die waarheid is ongrijpbaar, moeilijk toegankelijk, en er zit geen blijvende betekenis aan vastgeklonken. Als de geschiedenis geen verhaal wordt, is ze voor iedereen een dode letter, behalve voor de historicus. De kunst is de koffer van de geschiedenis, met daarin alles wat van levensbelang is. De kunst is de reddingsboei van de geschiedenis. Kunst is de kiem, kunst is het geheugen, kunst is ons vaccin.' Omdat Henry wel voelde dat de historicus op het punt stond hem te onderbreken, draafde hij onsamenhangend door. 'De Holocaust is voor ons een boom met immense historische wortels en slechts hier en daar minieme fictieve vruchten. Maar die vrúchten bevatten het zaad. De vrúchten worden geplukt. Als de boom geen vruchten draagt, wordt hij vergeten. Ieder van ons is als een flipbook,' vervolgde Henry, hoewel dat niet logisch aansloot op wat hij daarvoor had gezegd. 'Ieder van ons is een mengeling van feiten en fictie, een weefsel van vertellingen dat in ons echte lichaam zit. Dat is toch zo?'

'Dat snap ik allemaal wel,' zei de historicus met een zweem van ongeduld. 'Maar nogmaals: waar gáát je boek over?'

Toen die vraag voor de derde maal werd gesteld moest Henry het antwoord schuldig blijven. Misschien wist hij inderdaad niet waar zijn boek over ging. Misschien was dat het probleem. Hij ademde diep in zodat zijn borstkas uitzette, en hij zuchtte. Sprakeloos en met een rood hoofd staarde hij naar het witte tafelkleed.

Een van de redacteuren doorbrak de pijnlijke stilte. 'Dave heeft een punt,' zei hij. 'De roman en het essay moeten allebei strakker en scherper. Je hebt een buitengewoon indrukwekkend boek geschreven, een opmerkelijke prestatie, daar zijn we het over eens, maar in de huidige vorm ontbreekt het de roman aan vaart en het essay aan eenheid.'

De ober – tijdens die rampzalige lunch telkens weer Henry's redder in de nood – kwam het volgende gerecht serveren, een aanleiding om over iets anders te beginnen, vrolijkheid te veinzen en stug door te eten, tot een redacteur of de boekverkoper of de historicus zich uit professionele – en wie weet persoonlijke – overwegingen geroepen voelde om zijn of haar geweer te pakken, op Henry te richten en nogmaals te schieten. Zo was de hele maaltijd een aaneenschakeling van abrupte overgangen tussen decadent verfijnd eten en het vierendelen van zijn boek: Henry sputterde en stribbelde tegen, zij waren geruststellend en vernietigend, heen en weer en terug, tot er niets meer te eten was en niets meer te zeggen viel. Alles werd gezegd, verpakt in allervriendelijkste woorden: de roman was saai, het plot zwak, het lot van de niet-overtuigende personages oninteressant, het ging nergens over; het essay was flinterdun, had geen body, de argumentatie deugde niet, de stijl evenmin. Het idee van het flipbook leidde alleen maar af en was ook nog eens commerciële zelfmoord. Alles bij elkaar een volkomen onpubliceerbare mislukking.

Toen de lunch eindelijk was afgelopen en hij werd vrijgelaten, liep Henry verdwaasd naar buiten. Alleen zijn benen leken het nog te doen. Ze stuurden hem een onbekende richting op. Na een paar minuten kwam hij bij een park. Henry verbaasde zich over wat hij daar aantrof. In Canada, waar Henry vandaan kwam, is een park meestal een bomenreservaat. Dit Londense park was heel anders. Het was een grazige vlakte, een symfonie van groen. Er stonden wel bomen, maar die staken hun takken hoog de lucht in, alsof ze het ongebreidelde gras niet wilden hinderen. Midden in het park blonk een ronde vijver. Het was warm en zonnig, en het wemelde er van de mensen. Al dwalend door het park begon het Henry te dagen wat hem zojuist was overkomen. Vijf jaar werk was naar de vergetelheid verwezen. Zijn gedachten, bruut het zwijgen opgelegd, kwamen aarzelend weer op gang. *Ik had zus moeten zeggen... Ik had zo moeten zeggen... Wat verbeeldt hij zich verdomme wel... Hoe durft ze...* – aldus de scheldpartij in zijn hoofd, een onvervalste woedefantasie. Henry probeerde Sarah, zijn vrouw, in Canada te bellen, maar ze was op haar werk en haar mobiel stond uit. Hij liet alleen een onsamenhangende, dieptreurige boodschap op hun voicemail achter.

Er kwam een moment dat Henry's van spanning trillende spieren en zijn kolkende emoties hun krachten bundelden: hij hief zijn gebalde vuisten, tilde een voet op en stampte uit alle macht op de grond, terwijl hem een gesmoorde kreet ontsnapte. Het was geen bewuste beslissing geweest om zijn gevoelens zo te tonen. Het gebeurde zomaar, een spontane uiting van pijn, nijd en teleurstelling. Vlak bij hem stond een boom, met zachte, kale aarde eromheen, en zijn gestamp veroorzaakte een donderende dreun, zeker in zijn oren, en een stelletje dat vlakbij lag draaide zich naar hem om. Henry was verbijsterd. De grond had gebeefd. Hij had de trillingen gevoeld. De aarde zelf had hem gehoord, dacht hij. Hij keek op naar de boom. Het was een reus van een boom, een galjoen met volle zeilen, een museum met de gehele kunstcollectie uitgestald, een moskee met wel duizend gelovigen die God loofden. Hij staarde er minutenlang naar. Nog nooit had hij zo veel troost gevonden in een boom. Terwijl hij hem stond te bewonderen voelde hij de boosheid en de droefenis wegvloeien.

Henry keek naar de mensen om zich heen. Mensen alleen of met partner, gezinnen met kinderen, groepjes, vertegenwoordigers van alle rassen en volkeren: ze waren aan het lezen, slapen, praten, joggen, ze deden spelletjes en lieten de hond uit – mensen van allerlei slag maar toch in harmonie met elkaar. Een park in vredestijd op een zonnige dag. Waarom zou je hier over de Holocaust moeten praten? Als hij in dit vredelievende, bonte gezelschap joden zou ontdekken, zouden die hun prachtige dag dan door hem willen laten verpesten met gepraat over genocide? Zou ook maar iemand het leuk vinden als een onbekende hem kwam toefluisteren: 'Hitlerauschwitzzesmiljoenbrandendezielenmijngodmijngodmijngod'? En verdorie, Henry was niet eens joods, dus waar bemoeide hij zich eigenlijk mee? Context is alles, en de context deugde duidelijk niet. Waarom zou je nu een roman over de Holocaust schrijven? De zaak is afgehandeld. Primo Levi, Anne Frank en al die anderen hebben het goed gedaan, eens en voor altijd. 'Loslaten, loslaten, loslaten,' scandeerde Henry. Er kwam een jongeman op sandalen voorbij. *Flip-flop, flip-flop, flip-flop* deden zijn voeten, net als de meedogenloze conclusie van de boekverkoper. 'Loslaten, loslaten, loslaten,' scandeerde Henry.

Na een uurtje liep hij naar de rand van het park. Op een bord las hij dat hij zich in Hyde Park bevond. De ironie ontging hem niet. Hij was het park binnen gegaan als Mr. Hyde uit het verhaal van Stevenson, misvormd door woede, wrok en koppigheid, maar hij verliet het meer als de zachtmoedige dokter Jekyll.

Op dat moment bedacht Henry welk antwoord hij de historicus had moeten geven. Zijn flipbook ging erover dat zijn ziel uit hem was weggerukt en daarmee ook zijn tong. Was dat niet het onderwerp van elk holocaustboek: afasie? Henry moest denken aan een statistiek: nog geen twee procent van de overlevers van de Holocaust schrijft op enig moment over hun beproeving, of legt er getuigenis over af. Vandaar de karakteristieke aanpak van degenen die er wel over spreken: heel precies en feitelijk, als iemand die na een hersenbloeding opnieuw leert spreken en zich in het begin bedient van uiterst eenvoudige, heldere woordjes. Nu voegde ook Henry zich bij de overgrote meerderheid die zich door de Holocaust de mond had laten snoeren. Zijn flipbook ging erover dat hij zijn stem kwijt was.

Toen Henry Hyde Park verliet was hij dan ook geen schrijver meer. Hij hield ermee op, de drang tot schrijven was verdwenen.

Was dit zo'n geval van een schrijver die geen letter meer op papier kan krijgen? Later beweerde hij tegenover Sarah van niet, want er was wel degelijk een boek geschreven, twee zelfs. Nauwkeuriger gesproken was het een geval van een schrijver die geen letter meer op papier wíl zetten. Henry gaf het gewoon op. Maar al schreef hij dan misschien niet meer, leven wilde hij zeker wel. Een wandeling in een Londens park en een ontmoeting met een mooie boom hadden hem in elk geval een nuttige les geleerd: als je in de ellende wordt gestort, bedenk dan dat je dagen op aarde geteld zijn en dat je dus maar het beste moet maken van de tijd die je rest.

Henry keerde terug naar Canada en overtuigde Sarah ervan dat een andere omgeving hun goed zou doen. Het avontuur lokte, en ze liet zich overhalen. Achterelkaar zegde zij haar baan op, vulden ze formulieren in, pakten ze hun spullen en vertrokken ze naar het buitenland. Ze vestigden zich in zo'n machtige wereldstad die een wereld op zich is, een legendarische metropolis waar vogels van allerlei pluimage neerstrijken en opgaan in de massa. Misschien was het New York. Misschien was het Parijs. Misschien was het Berlijn. Henry en Sarah verhuisden naar die stad omdat ze zich een tijdje naar dat levensritme wilden voegen. Sarah, die verpleegkundige was, kreeg een werkvergunning en vond een baan bij een verslavingskliniek. Henry, een vreemdeling met verblijfsvergunning, een rechteloze schim, gaf invulling aan de leegte in zijn leven die was ontstaan doordat hij niet meer schreef.

Hij nam muziekles en greep terug op zijn herinneringen (maar helaas schaarse vaardigheden) uit de tijd dat hij als tiener had gespeeld. Eerst probeerde hij de fagot, maar hij legde het af tegen het dubbelriet en de raar geplaatste gaten. Hij pakte de klarinet weer op, waarvan hij het emotionele bereik, van uitgelaten tot gedragen, in zijn jonge jaren niet had vermoed. Hij vond een goede leraar, een oudere heer, geduldig, intuïtief en geestig. De man zei tegen Henry dat vreugde het enige onontbeerlijke talent was om goed te kunnen musiceren. Toen Henry op een keer zwoegde op het klarinetconcert van Mozart onderbrak de leraar hem en vroeg: 'Waar is de lichtheid? Je maakt van Mozart een zware, zwarte os waar je een akker mee omploegt.' Daarop pakte hij zijn eigen klarinet en bracht een explosie van muziek ten gehore zo luid, helder en sprankelend, zo'n wilde wervelstorm van noten, dat Henry verbijsterd was. Het was een auditieve versie van Marc Chagall, met geiten, bruiden, bruidegoms en paarden die door een bonte hemel zwierden, een wereld zonder zwaartekracht. Toen de leraar ophield werd Henry door de plotselinge leegte in de kamer bijna naar voren gezogen. Hij keek naar zijn eigen klarinet. Kennelijk zag de leraar de uitdrukking op Henry's gezicht. 'Wees maar niet bang,' zei hij. 'Het is een kwestie van veel oefenen. Voor je het weet kun jij het ook.' Henry stelde zich weer op achter zijn zwarte os en zwoegde voort. Zijn leraar glimlachte, sloot zijn ogen en knikte. 'Dat is mooi, dat is mooi,' mompelde hij, alsof Henry's os vleugels had gekregen.

Henry gaf zich op voor Spaanse les, ook iets waarmee hij voortbouwde op diep weggezakte kennis van vroeger. Zijn moedertaal was Frans, en door gelukkige omstandigheden in zijn jeugd – hij was een zoon van diplomaten die veel omzwervingen maakten – had hij vloeiend Engels en Duits geleerd. Alleen Spaans had hij in die jonge leerjaren niet goed in zijn hoofd kunnen krijgen. Als kind had hij drie jaar in Costa Rica gewoond maar op een Engelse school gezeten. In San José had hij op straat de buitenkant van het Spaans geleerd, de kleur, maar niet het doek dat het droeg. Als gevolg daarvan waren zijn uitspraak en idioom voldoende, maar zijn grammaticale kennis niet. Die lacune probeerde hij aan te vullen door les te nemen bij een dromerige doctorandus Spaans die een postdoctorale studie geschiedenis volgde.

Dat Henry er de voorkeur aan gaf om in het Engels te schrijven had in zijn geboorteland hier en daar tot gefronste wenkbrauwen geleid. Het was, legde hij uit, *un hasard*. Als je op school Engels en Duits gebruikt, leer je in het Engels en in het Duits denken, en dan begin je vanzelfsprekend in het Engels en in het Duits te schrijven. Zijn eerste creatieve krabbels – uiterst persoonlijke probeersels, niet bestemd voor publicatie – waren in het Duits gesteld, vertelde hij verbaasde journalisten. Aan de schurende uitspraak, ondubbelzinnige fonetische spelling, geheimzinnige grammaticaregels en architectonische zinsbouw beleefde hij eindeloos veel genoegen. Maar naarmate hij ambitieuzer werd, verklaarde hij, werd het voor een Canadese schrijver ronduit te gek om in het Duits te schrijven. *Das ist doch verrückt!* Hij schakelde over op Engels. Het kolonialisme is een zwaar juk voor het volk dat eronder zucht, maar een zegen voor een taal. Het Engels profiteert gretig van het nieuwe en het buitenissige, rooft enthousiast woorden uit andere talen, kan zich daar niet schuldig over voelen, beschikt over een museale overvloed aan vocabulaire, doet spelling schouderophalend af, springt blijmoedig zorgeloos om met de grammatica – met als resultaat een taal die Henry dierbaar was om haar kleurigheid en rijkdom. In zijn volstrekt persoonlijke beleving was Engels jazzmuziek, Duits klassieke muziek, Frans kerkmuziek en Spaans volksmuziek. Dat wil zeggen: zou je hem in zijn hart steken, dan bloedde het Frans, zou je zijn brein opensnijden, dan hadden zich in de kronkelingen Engels en Duits afgezet, en zou je zijn handen pakken, dan zouden ze Spaans aanvoelen. Maar dat allemaal geheel terzijde.

Henry sloot zich ook aan bij een gerenommeerd amateurtoneelgezelschap. Onder leiding van een bezielde regisseur nam de groep de eigen inspanningen heel serieus. Ze behoorden tot Henry's mooiste herinneringen aan de stad: de repetities op een doordeweekse avond, wanneer hij en de andere amateurspelers

Pinter en Ibsen en Pirandello en Soyinka geleidelijk aan tot leven brachten; als ze binnenkwamen legden ze hun eigen ik af om op het toneel naar beste kunnen iemand anders te worden. De verbroedering onder deze toegewijde spelers was van onschatbare waarde, en het streven naar emotionele pieken en dalen, naar ervaringen die indirect maar indringend waren, was uitermate leerzaam, zoals grote kunst dat wel vaker is. Elk stuk gaf Henry het gevoel dat hij een extra leven had geleid, met de bijbehorende portie wijsheid en dwaasheid.

Na hun verhuizing kwam het een paar keer voor dat Henry midden in de nacht wakker werd, op zijn tenen de slaapkamer uit sloop naar de computer en het boek op het scherm liet verschijnen om er de strijd mee aan te binden. Hij kortte het essay met de helft in. In de roman spoorde hij overbodige bijvoeglijke naamwoorden en bijwoorden op. Enkele scènes en zinnen herschreef hij keer op keer. Maar wat hij ook probeerde, het was en bleef hetzelfde dubbel mislukte boek. In de loop van enkele maanden kwijnde de vruchteloze drang tot reviseren en reanimeren weg. Zelfs op e-mails van zijn agent en zijn redacteuren reageerde hij niet meer. Sarah opperde voorzichtig dat hij misschien wel depressief was. Ze moedigde hem aan vooral bezig te blijven. Om op het verhaal (een heel ander verhaal) vooruit te lopen: Sarah werd na enige tijd zwanger en schonk Henry een eerste kind, een jongetje, Theo. Toen Henry hem zag, verwonderd als nooit tevoren, besloot hij dat zijn zoon zijn pen zou worden en dat hij met hem een mooi levensverhaal zou schrijven door een goede, liefhebbende vader te zijn. Als Theo de enige pen was die Henry ooit nog ter hand nam – het zij zo.

Maar kunst wortelt nu eenmaal in vreugde, zoals zijn muziekleraar had opgemerkt. Nadat hij een stuk had gerepeteerd, of een muziekstuk had geoefend, of naar een museum was geweest, of een goed boek had gelezen, hunkerde Henry onvermijdelijk naar de creatieve vreugde die nu buiten zijn bereik lag.

Om nog meer omhanden te hebben ontplooide Henry nog een activiteit, die overdag meer tijd vergde en wel op een traditioneel serieuzere manier dan alle andere bezigheden: hij ging in een koffiehuis werken. Eigenlijk was het een *chocolatería*, wat in eerste instantie zijn aandacht had getrokken. Er werd ook koffie geschonken, lekkere koffie zelfs, maar The Chocolate Road was in de eerste plaats een fair trade-cacaocoöperatie die chocola produceerde en distribueerde in al zijn vormen, van wit tot melk en bitter, in diverse gradaties van zuiverheid en in een breed assortiment van smaken, in dozen, in reepvorm en als instantpoeder voor chocoladedrank, en ook als cacaopoeder en chocoladebrokjes voor taarten en cakes. De producten voor hun merkartikelen kwamen van coöperatieve plantages in de Dominicaanse Republiek, Peru, Paraguay, Costa Rica en Panama en werden in steeds meer gezondheidswinkels en supermarkten verkocht. Het was een klein maar florerend bedrijf, en de chocolatería, een combinatie van chocoladewinkel en chocolademelkbar, was het hoofdkwartier. Het was een gezellige tent, met een plafond van gedreven metaal, wisselende kunsttentoonstellingen en goede, meestal Latijns-Amerikaanse muziek; het etablissement lag op het zuiden, zodat het er doorgaans licht en zonnig was. Aangezien het niet ver van hun huis was, ging Henry er vaak de krant zitten lezen met lekkere warme chocolademelk erbij.

Op een dag zag hij een bordje voor het raam: MEDEWERKER GEZOCHT. Spontaan ging hij informeren. Henry had geen baan nodig, strikt genomen mocht hij niet eens werken, maar hij had een zwak voor de medewerkers van The Chocolate Road en bewondering voor hun principes. Hij solliciteerde, zij hadden belangstelling en ze spraken af dat hij in aandelen zou worden betaald, en kijk, Henry werd kleinaandeelhouder in een cacaobedrijf, parttime-ober en manusje van alles. Sarah keek het geamuseerd en verwonderd aan: ze hield het er maar op dat Henry met research bezig was. Algauw sleet zijn verlegenheid bij het bedienen van onbekenden. Eerlijk gezegd vond hij het leuk om ober te zijn. Het gaf hem wat lichaamsbeweging en het verschafte hem geregeld korte inkijkjes in de dynamiek van het menselijk gedrag, of het nu ging om eenzame drinkers, stellen, gezinnen of groepjes vrienden. De uren in The Chocolate Road vlogen voorbij.

Om het plaatje compleet te maken haalden Sarah en hij een pup en een kitten uit het asiel, geen van beide ook maar enigszins raszuiver, wel pienter en levenslustig. De eerste doopten ze Erasmus, de tweede Mendelssohn. Henry was benieuwd of ze het goed zouden kunnen vinden samen. Erasmus bleek onbesuisd te zijn, maar gemakkelijk af te richten. Hij ging vaak met Henry mee boodschappen doen. Mendelssohn, een beeldschone zwarte poes, was wat afstandelijker. Als er onbekenden op bezoek kwamen verdween ze onder de bank.

Dat was het leven dat Henry en Sarah in die machtige stad opbouwden. Ze dachten dat ze er een jaartje zouden wonen, een soort lange vakantie, maar na het eerste jaar hadden ze nog geen zin om weg te gaan, na het tweede evenmin, en daarna dachten ze er niet meer aan wanneer ze precies zouden vertrekken.

Tijdens hun verblijf in de stad raakte Henry's eerdere bestaan als schrijver niet helemaal in vergetelheid. Herinneringen eraan, in de vorm van brieven, klopten zachtjes op de deur van zijn bewustzijn. Brieven van lezers bereikten hem via buitengewoon omslachtige routes, vaak maanden nadat ze door de afzenders waren gepost. Een lezer in Polen schreef bijvoorbeeld naar zijn uitgever in Krakau. Na enige tijd stuurde zijn Poolse uitgever de brief dan door naar zijn Canadese literair agent, die het epistel aan hem zond. Of een Koreaanse lezer schreef naar het adres van zijn Britse uitgever, die de brief dan weer doorstuurde, enzovoort.

Er kwamen brieven uit Groot-Brittannië, Canada, de Verenigde Staten en alle andere hoeken van het voormalige Britse rijk, maar ook uit alle windstreken van Europa en Azië. De briefschrijvers waren van alle leeftijden en kwamen uit alle rangen en standen, en het Engels varieerde van trefzeker verzorgd tot ongehoord slordig. Sommigen van die briefschrijvers hadden waarschijnlijk het idee dat ze een boodschap in een fles stopten en die in zee gooiden. Maar hun inspanningen waren niet tevergeefs. De gunstige winden en stromingen in de uitgeverswereld voerden de brieven gestaag Henry's kant op.

Sommige brieven waren strikt genomen pakjes. Ze bevatten bijvoorbeeld een begeleidende brief van een lerares aan een middelbare school en een reeks serieuze opstellen die haar leerlingen over zijn roman hadden geschreven. Of ze bevatten foto's of artikelen die Henry volgens de afzenders wel zouden interesseren. Maar over het algemeen waren het echte brieven, getypt of met de hand geschreven. Als ze op de computer waren opgesteld en geprint waren ze meestal vrij uitgebreid en wijdlopig, korte essays soms, maar als ze met de hand waren geschreven waren ze gewoonlijk korter en persoonlijker. Henry gaf de voorkeur aan de laatste. Hij schepte genoegen in het individuele karakter van een handschrift: nu eens bijna robotachtig en supergoed leesbaar, dan weer amper te ontcijferen hanenpoten. Het verbaasde hem altijd dat zesentwintig zeer conventionele tekens zo gevarieerd konden worden weergegeven als een levende hand ze op papier zette. Had Gertrude Stein niet gezegd dat taal een door elkaar gegooid alfabet was? In met de hand geschreven brieven wekte de pagina-indeling ook zijn belangstelling, soms zijn zorg, bijvoorbeeld wanneer de regels proza over de pagina waren verspreid als planten op ongelijksoortige grond, hier ver uiteen, daar op een kluitje, vaak onder aan het vel papier, waar de schrijver ruimte tekortkwam maar toch dat belangrijke detail nog moest melden, vandaar dat de zinnen langs de zijkant omhoogkropen, als de wortels van een plant in een te kleine pot. Krabbels en tekeningetjes stonden er ook geregeld bij, kunst in ruil voor kunst, die van hem tegen die van hen. In veel brieven werden vragen gesteld. Een lezer had één vraag, of twee vragen, of drie.

Henry beantwoordde de brieven stuk voor stuk. Bij een drukker liet hij een dubbele kaart maken, ter grootte van een uitnodiging. Voorop stonden kleurige fragmenten van de omslagafbeeldingen van enkele internationale uitgaven van zijn boek. Dat kaartje bood twee voordelen. Het was een persoonlijk aandenken dat de lezer wellicht op prijs stelde, en het beperkte de lengte van Henry's antwoord tot drie kleine pagina's: de tweezijdige binnenkant en de achterkant. De antwoorden waren daardoor lang genoeg naar de zin van zijn lezers en kort genoeg naar zijn eigen zin.

Waarom beantwoordde hij al die brieven? Omdat zijn roman weliswaar tot zijn verleden behoorde, maar een verrassing was voor allen die het boek voor het eerst lazen, en die verrassing klonk door in hun brieven. Het zou onbeleefd zijn geweest om niet te reageren op vriendelijkheid en enthousiasme. Erger nog, het zou ondankbaar zijn geweest. Uit dankbaarheid maakte Henry er dan ook een gewoonte van om eens per week ergens rustig te gaan zitten en de lezers terug te schrijven. Hij bleek moeiteloos een stuk of vijf antwoorden te kunnen produceren waar hij ook was, in een café, als het stil was in The Chocolate Road of tijdens repetities.

Henry reageerde niet op persoonlijke vragen, behalve als de schrijver heel jong was, maar op opmerkingen over zijn roman ging hij graag in. De vragen en commentaren waren vaak hetzelfde. Algauw kon hij vlot standaardreacties spuien, met soepele variaties die pasten bij de toon of de invalshoek van een bepaalde brief. In Henry's roman kwamen wilde dieren voor, en veel brieven waren eigenlijk vragen daarover, over echte dieren en figuurlijke dieren en het verschil daartussen. De lezers namen aan dat hij dierkunde had gestudeerd, of op z'n minst al zijn leven lang een hartstochtelijk natuurliefhebber was. Hij antwoordde dat hij net als iedere ontvankelijke bewoner van deze planeet een brede liefde voor de natuur koesterde, maar dat hij geen bijzondere belangstelling had voor dieren, geen diepe liefde die je een karaktertrek zou kunnen noemen. Dat hij in zijn roman gebruik had gemaakt van dieren, legde hij uit, kwam eerder voort uit ambachtelijke dan uit gevoelsmatige overwegingen. Als hij zijn soortgenoten toesprak, naakt, was hij ook maar een mens, en derhalve wellicht – waarschijnlijk – ongetwijfeld – een leugenaar. Maar uitgedost met vacht en veren werd hij een sjamaan en verkondigde hij een grotere waarheid. Wij doen cynisch over onze eigen soort, maar minder cynisch over dieren, met name wilde dieren. We kunnen ze er misschien niet voor behoeden dat hun habitat wordt vernietigd, maar we zijn geneigd ze wel te behoeden voor buitensporige ironie.

Henry maakte in zijn antwoorden vaak gebruik van hetzelfde luchthartige voorbeeld: als ik een verhaal vertel over een tandarts uit Beieren of uit Saskatchewan moet ik rekening houden met de ideeën van de lezers omtrent tandartsen en mensen uit Beieren of uit Saskatchewan, met de vooroordelen en stereotypen waarmee mensen en verhalen in hokjes worden gestopt. Maar is de tandarts een neushoorn uit Beieren of Saskatchewan, dan ligt de zaak volkomen anders. Dan let de lezer beter op, want hij of zij heeft geen vooroordelen omtrent neushoorntandartsen, uit Beieren noch uit andere contreien. Het ongeloof van de lezer schuift open als een toneelgordijn. En dan kan het verhaal zich gemakkelijker ontvouwen. Het onvoorstelbare is de beste manier om mensen in iets te laten geloven.

Er arriveerden brieven uit de postale ether, en zijn antwoorden keerden terug naar de postale ether. Slechts zelden ontbrak in Henry's rugzak zijn schrijversgerei: kaarten, postzegels, enveloppen en een stapeltje brieven van lezers.

Op zekere winterdag ontving Henry een grote envelop van niet zo heel ver weg. De envelop was afkomstig uit zijn eigen stad, zag hij aan het adres van de afzender, maar had de gebruikelijke omweg afgelegd, in dit geval via zijn Britse uitgever. De brief kwam vast van een lezer, en een die veel te zeggen had, merkte hij zuchtend op toen hij voelde hoe dik de envelop was. Hij legde hem op de stapel andere post.

Een week later maakte hij hem thuis open. De inhoud bestond grotendeels uit een fotokopie van de Engelse vertaling van een kort verhaal van Gustave Flaubert, *The Legend of Saint Julian Hospitator*. Henry had er nog nooit van gehoord, had alleen vroeger *Madame Bovary* van Flaubert gelezen. Hij wist niet wat hij ervan moest denken. Hij bladerde het verhaal door. Het was vrij lang en verscheidene alinea's waren met felgeel gemarkeerd. Hij legde het weg, al moe bij het idee dat hij zich voor deze onbekende zó zou moeten inspannen. Misschien was dit die ene lezer wiens brief hij niet zou beantwoorden. Maar terwijl hij koffiezette, bedacht hij zich. De vraag bleef knagen: waarom stuurde een lezer hem een heiligenlegende van een negentiende-eeuwse Franse schrijver? Hij ging naar zijn werkkamer om het woord *hospitator* op te zoeken. Hij vond het in de grote Oxford, waarin de kleine lettertjes bol uitdijden onder het vergrootglas: 'iemand die gastvrijheid ontvangt of verleent'. Goed, als hij werd uitgenodigd... Hij ging aan de keukentafel zitten en nam het verhaal weer ter hand. Het begon zo:

> De vader en moeder van Julianus woonden op een kasteel in de bossen, tegen de helling van een heuvel.
> De spitsen van de vier hoektorens waren bedekt met loden schubben, en de voet van de muren rustte op rotsblokken die steil afliepen tot de bodem van de slotgracht.
> Het plaveisel op de binnenplaats was zo schoon als een kerkvloer. Lange spuiers spuwden, in de vorm van draken

met de muil omlaag, het regenwater naar de put...
Binnen... in de kamers hingen wandtapijten tegen de kou; en het lijnwaad puilde uit de kasten, de vaten wijn lagen opgestapeld in de kelders...

Een middeleeuwse legende dus. Henry verwijderde de paperclip die het verhaal bijeenhield en bekeek de volgende pagina. Daar was de heer en meester:

Hij liep altijd in een vossenpels door zijn huis, hij sprak recht over zijn vazallen en beslechtte burenruzies...

En daar de moeder, met het antwoord op haar gebeden:

...heel blank... Op haar dringende beden schonk God haar een zoon.
...een groot feest en men richtte een banket aan dat drie dagen en vier nachten duurde...

Hij las verder.

Op een avond werd ze wakker, en in een manestraal die door het raam naar binnen viel, zag zij iets als een schim bewegen. Het was een grijsaard... een kluizenaar... zonder dat zijn lippen vaneen gingen, zei hij tegen haar:
'Verheug u, moeder! Uw zoon zal een heilige worden!'

Verderop op dezelfde pagina hoort ook de vader een voorspelling:

...stond nog aan de achterpoort... toen plotseling uit de nevel een bedelaar voor hem oprees. Het was een zigeuner... Als in vervoering stamelde hij onsamenhangend:

> 'Ah! Ah! Uw zoon!... Veel bloed!... Veel roem!... Altijd voorspoedig! Verwant aan een keizer!'

De zoon, Julianus:

> ...was net het kindje Jezus. Hij kreeg tanden zonder ook maar een keer te huilen.
> ...zijn moeder leerde hem zingen. Om hem onverschrokken te maken, tilde zijn vader hem op een groot paard...
> Een oude, hooggeleerde monnik onderwees hem in de Heilige Schrift...
> Dikwijls gaf de kasteelheer een feest voor zijn oude wapenbroeders... zij haalden herinneringen op aan hun krijgsverrichtingen... aan de buitensporige verwondingen. Julianus hoorde toe en slaakte kreten van enthousiasme; dan twijfelde zijn vader niet of hij zou later een groot veldheer worden. Maar 's avonds na de vesper, als hij langs de voor hem buigende bedelaars liep, tastte hij met zo veel schroom en edelmoedigheid in zijn geldbeurs, dat zijn moeder ervan overtuigd was dat hij het nog eens tot aartsbisschop zou brengen.
> In de kapel... hoe lang de diensten ook duurden... neergeknield op zijn bidstoel, met gevouwen handen.

Toen stuitte Henry op iets waaruit hij kon opmaken waarom het verhaal hem was toegezonden: enkele door de lezer netjes en nauwkeurig gemarkeerde alinea's over Julianus.

> Op een dag, toen hij onder de mis opkeek, zag hij uit een gat in de muur een wit muisje komen. Het trippelde over de eerste altaartrede, liep een paar keer op en neer, en verdween vervolgens in dezelfde opening. Zondags daarop werd hij afgeleid door de gedachte dat hij het diertje mis-

> schien weer zou zien. Het kwam; en iedere zondag zag hij ernaar uit, werd erdoor gestoord, begon het te haten en besloot zich ervan te ontdoen.
> Dus strooide hij, nadat hij de deur had gesloten, koekkruimels op de treden, en met een stokje in zijn hand stelde hij zich op voor het muizengat.
> Na lang wachten kwam er een roze snuitje tevoorschijn, en even later de hele muis. Hij sloeg lichtjes, en stond versteld dat het lijfje niet meer bewoog. Een druppel bloed vlekte op het plaveisel. Hij veegde het haastig af met zijn mouw, wierp de muis naar buiten en sprak er met niemand over.

Op de volgende pagina werden weer enkele alinea's onder zijn aandacht gebracht.

> Toen hij op een ochtend terugliep over de middenwal, zag hij boven op de borstwering een grote duif in de zon zitten. Julianus bleef ernaar staan kijken; er was op die plaats een gat in de muur, en als vanzelf sloten zijn vingers om een stuk steen. Zijn arm maakte een zwaai en de steen trof de vogel, die neerstortte in de slotgracht.
> Rapper dan een jonge hond daalde hij erin af, schramde zich aan het struikgewas, en speurde in het rond.
> Trillend, met gebroken vleugels, hing de duif in de takken van een liguster.
> Het ergerde de knaap dat de vogel nog steeds leefde. Hij kneep hem de keel dicht; het gespartel deed zijn hart bonzen en vervulde hem van een wilde, onstuimige wellust. Bij de laatste stuiptrekking viel hij bijna in onmacht.

Dat verband speelde de lezer dus door het hoofd: dieren, het doden van. Henry was niet geschokt. De dieren in zijn verhaal waren geen sentimentele karikaturen. Ze waren weliswaar voor literaire doeleinden gebruikt, maar het waren wilde dieren, die hij had willen neerzetten zoals ze zich in het echt gedroegen, en wilde dieren doden en worden gedood alsof het de gewoonste zaak van de wereld is. Zijn verhaal was bedoeld voor volwassenen, en hij had zich al het dierlijke geweld toegestaan dat ervoor nodig was. Een muis en een duif die werden gedood door een kind dat de grenzen van het leven verkent, wil weten hoe de dood aanvoelt – daar kon hij zich niet over opwinden.

Hij bladerde verder. Julianus wordt een meedogenloos jager, getuige de trouwe markeerstift van zijn lezer:

> ...hij gaf de voorkeur aan het jagen te paard, ver van de anderen, met zijn valk... die omlaagkwam terwijl hij een vogel verscheurde...
> ...maakte Julianus jacht op reigers, wouwen, kraaien en gieren.
> ...hield ervan om schallend op de jachthoorn zijn honden te volgen... het hert... genoot van de woede waarmee de doggen hun prooi verslonden.
> Op mistige dagen ging hij diep het moeras in... ganzen, otters en talingen.
> ...doodde beren met de dolk, stieren met de bijl, everzwijnen met de jachtspies...
> ...dashonden... konijnen... de twee dassen schoten erop af... braken hun de ruggengraat.
> ...op de top van een hoge berg... twee steenbokken... op zijn blote voeten... stak hem een dolk in de flank...
> ...een bevroren meer... bever... zijn pijl trof hem dodelijk...

Vervolgens had zijn lezer een vrij lang stuk gemarkeerd.

Daarna trok hij door een laan van grote bomen, die met hun toppen net een triomfboog vormden aan de ingang van een woud. Een ree sprong uit het kreupelhout, een damhert vertoonde zich op een viersprong, een das kwam uit een hol, op het grasveld pronkte een pauw; en toen hij ze allemaal had neergelegd, dienden zich nieuwe reeën aan, nieuwe damherten, dassen en pauwen, en merels, gaaien, bunzingen, vossen, egels, lynxen, eindeloos veel dieren, meer en meer bij elke stap. Ze draaiden om hem heen, trillend, met zachte, smekende blik. Maar Julianus werd het doden niet moe, en nu eens spande hij zijn kruisboog, dan weer trok hij zijn zwaard of stak met zijn hartsvanger; en hij dacht nergens aan, herinnerde zich helemaal niets. Hij was op jacht, in een willekeurig land, sinds een onbepaalde tijd, enkel en alleen omdat dit zijn leven was; en alles voltrok zich met het gemak dat men in dromen ervaart. Een uitzonderlijk schouwspel bracht hem tot staan. Een kudde herten vulde een vallei die de vorm had van een arena; en dicht opeengedrongen verwarmden zij elkaar met hun adem, die hij door de nevel heen zag dampen.

Een poos lang was hij buiten zichzelf van vreugde bij het vooruitzicht op een dergelijk bloedbad. Toen sprong hij van zijn paard, stroopte zijn mouwen op en begon te schieten.

Bij het fluiten van de eerste pijl wendden alle herten tegelijk hun kop. In de massa vielen bressen; klaaglijke stemmen verhieven zich, en de kudde geraakte in hevige beroering.

De wanden van de vallei waren te hoog om eroverheen te komen. De dieren sprongen rond in de omsloten ruimte en zochten naar een uitweg. Julianus mikte, schoot; en de pijlen vielen als regenstralen bij een wolkbreuk. Tot razernij gebracht begonnen de herten te vechten, ze steigerden, klommen over elkaar heen, en hun lijven met de verstrengelde geweien vormden een grote zich verplaatsende heuvel die telkens inzakte.

Ten slotte stierven ze, uitgestrekt op het zand, met het schuim op de bek, de ingewanden naar buiten puilend; het zwoegen van hun flanken nam geleidelijk af. En alles verstarde.

De avond viel; en achter het bos, tussen de takken door, was de hemel rood als een zee van bloed.

Julianus leunde met zijn rug tegen een boom. Met wijd open ogen keek hij naar de geweldige slachting, niet begrijpend hoe hij hiertoe in staat was geweest.

Aan de overkant van de vallei ontwaarde hij langs de zoom van het woud een hert, een hinde en haar jong.

Het hert, dat zwart was en gigantisch groot, had zestien takken aan zijn gewei en droeg een witte sik. De hinde, die blond was als dorre bladeren, liep te grazen; en het gevlekte hertenjong dronk uit haar uier zonder haar in het voortgaan te belemmeren.

Wederom gonsde de kruisboog. Het jong was op slag dood. Toen zag zijn moeder naar de hemel op, en begon met diepe, menselijke stem hartverscheurend te schreeuwen. Geërgerd velde Julianus haar met een schot recht in de borst.

Het grote hert had hem gezien en sprong voorwaarts. Julianus schoot zijn laatste pijl op hem af. Deze trof hem in de kop en bleef erin staan.

Daar eindigde zijn lezer met citeren, bij wijze van spreken. Het neongeel werd uitgezet en het verhaal mocht zelfstandig verdergaan. Dat was eigenaardig, want meteen in de volgende regel staat dat de hertenbok niet wordt gedood door Julianus' laatste pijl. Nee, de hertenbok stapt naar hem toe, kijkt hem onverschrokken aan, en begeleid door een in de verte kleppende klok begint hij te spreken. Hij vervloekt hem.

> 'Vervloekt! Vervloekt! Vervloekt! Er zal een dag komen, wreedaard, dat je je eigen vader en moeder vermoordt!'

Dat ongetwijfeld cruciale element in het verhaal interesseerde zijn lezer kennelijk niet.

Henry las de rest van het verhaal vluchtig door. Na de vervloeking door de hertenbok geeft Julianus de jacht eraan, hij verlaat zijn ouders en zwerft de wereld rond. Hij wordt huurling, een heel goede zelfs, en er volgt veel moord en doodslag, mannen van vele nationaliteiten verliezen het leven, maar Julianus weet de genegenheid en dankbaarheid te winnen van de keizer van Occitanië, die hij uit de handen van de kalief van Cordoba had gered. Als beloning mag hij de dochter van de keizer huwen. Een van de voorspellingen die Julianus' vader waren gedaan is daarmee uitgekomen: hij behoort tot een keizerlijke familie. Maar blijkbaar had zijn lezer daar geen belangstelling voor.

Nog één fragment was met geel gemarkeerd, twee alinea's met een beschrijving van verlangens die onder de oppervlakte van Julianus' overigens gelukkige huwelijksleven sudderen.

> Gekleed in het purper leunde hij op zijn ellebogen in een vensternis en dacht terug aan zijn jachtpartijen van weleer; en hij had het liefst door de woestijn op gazellen en struisvogels gejaagd, verscholen tussen de bamboes op luipaarden geloerd, wouden vol neushoorns doorkruist, op de meest onbereikbare bergtoppen arenden onder schot genomen of op schotsen in zee met ijsberen gevochten.
>
> Soms zag hij in een droom zichzelf als Adam, ons aller vader, tussen de dieren in het paradijs; hij strekte zijn armen

> en bracht ze ter dood; of ze stapten paarsgewijs, in volgorde van grootte voorbij, vanaf de olifant en de leeuw tot de hermelijn en de eend, als op de dag dat zij de ark van Noé binnengingen. In de schaduw van een grot wierp hij naar hen zijn spiesen die altijd doel troffen; er doken andere dieren op; er kwam geen einde aan;

En daar, bij een puntkomma, was zijn lezer opgehouden, zonder de moeite te hebben genomen de laatste zin van de alinea te markeren, hoe kort die ook was.

> Julianus werd wakker terwijl hij wild met zijn ogen rolde.

De rest van het verhaal was niet becommentarieerd, in feite het belangrijkste gedeelte: hoe Julianus ertoe komt zijn ouders te doden, zoals door de hertenbok is voorspeld, en, belangrijker nog, hoe een leven van smart, zelfverloochening en dienstbaarheid ertoe leidt dat hij de heilige wordt die in de titel van het verhaal is aangekondigd. Nee, zijn lezer hield zich alleen bezig met de dieren en hun bloedig lot. Voor Julianus en zijn verlossing scheen hij geen belangstelling te hebben.

Erasmus gaf jankend te kennen dat hij uitgelaten wilde worden. Henry moest nog een paar telefoontjes plegen, zijn rol doornemen en een kostuum zoeken bij een chique tweedehandswinkel. Hij legde het verhaal neer.

Een paar dagen later, toen het even rustig was in The Chocolate Road, pakte hij de tekst weer op; ditmaal besteedde hij aandacht aan het verhaal als geheel, in plaats van alleen aan de fragmenten die zijn lezer had gemarkeerd. Er zat een eigenaardige onevenwichtigheid in het verhaal: een belangrijk element bleef onopgelost. De twee kanten van het karakter van Julianus, barmhartig én moordlustig, pasten binnen het menselijke domein van het verhaal. In zijn dagen als huurling bijvoorbeeld handelt hij gewelddadig, maar wel binnen een moreel kader. 'Nu eens,' staat er dan ook, 'steunde hij de dauphin van Frankrijk, dan weer de koning van Engeland, de tempelheren van Jeruzalem, de surena der Parthen, de negus van Abessinië en de keizer van Calicut', en er wordt geïmpliceerd dat al die vorsten zijn bijstand verdienen en dat het doden van al die tegenstanders dus noodzakelijk is. De rechtvaardigheid van dat vergoten bloed wordt op dezelfde bladzijde met zo veel woorden uitgesproken: 'Hij vocht volkeren vrij. Hij verloste koninginnen die in torens waren opgesloten. Hij en niemand anders, doodde de slang van Milaan en de draak van Oberbirbach.' Het is duidelijk dat degenen die volkeren onderdrukten en koninginnen in torens opsloten van hetzelfde weerzinwekkende ethische allooi waren als de slang van Milaan. Het menselijk geweld vaart derhalve op een moreel kompas, dat Julianus het pad van de minste kwaden op stuurt, waar de slachtoffers, als er dan toch gemoord moet worden, maar beter schuldige '...met visschubben overdekte Scandinaviërs...' kunnen zijn, 'negers met rondassen van nijlpaardenleer... Troglodyten... Antropofagen', dan nobele dauphins, koningen en tempelheren van Jeruzalem. En dat – in gewelddadige tijden een moreel kompas gebruiken – was verstandig. Juist op zulke momenten moet men er gebruik van maken.

Nadat Julianus zijn ouders heeft doodgestoken terwijl ze in zíjn bed liggen te slapen – hij ziet hen aan voor zijn vrouw met een minnaar, niet wetend dat zijn echtgenote hun die rustplaats heeft aangeboden – raakt hij er diep van doordrongen dat hij iets verschrikkelijks heeft gedaan. Hij wordt overmand door berouw. De naald van zijn morele kompas tolt.

Aan het eind van het verhaal komt de naald tot rust. Julianus verleent gastvrijheid aan een afschuwelijk verminkte melaatse die koud en uitgehongerd is; hij biedt hem niet alleen voedsel en onderdak, maar zijn eigen bed, waar hij naakt op hem gaat liggen – 'mond op mond, borst op borst' – om hem alle warmte te schenken die hij als christen in zich heeft. De melaatse blijkt Jezus te zijn. Wanneer de Heer ten hemel vaart en de geredde Julianus meeneemt, wordt daarmee gesymboliseerd dat Julianus' met bloed bespatte morele kompas triomfantelijk en zuiver naar het noorden wijst. Twee manieren om de wereld te beschouwen – verhalend en godsdienstig – worden door Flaubert bij elkaar gezet en naar de begrijpelijke en eensluidende conclusies gevoerd: een gelukkige afloop en een geredde zondaar. Uitgaande van de conventies van een traditionele hagiografie klopte dat allemaal.

Wat echter niet klopte was de afslachting van de dieren. Binnen het kader van het verhaal werd dat aspect niet opgelost, een afrekening bleef uit, en in religieus opzicht viel het in een beschamend luchtledig. Dat Julianus er zo veel genoegen in schept dieren te kwellen en te doden – uitvoeriger en veel gedetailleerder beschreven dan het doden van mensen – speelt slechts een bijrol in zijn vervloeking en redding. Omdat hij zijn ouders heeft gedood zwerft hij verloren over de aarde en omdat hij zijn hart openstelt voor een goddelijke melaatse wordt hij gered. De afgrijselijke slachting die hij tijdens de jacht aanricht leidt alleen tot de vervloeking door de grote hertenbok. Afgezien daarvan is het bloedbad, een doelbewuste uitroeiing van dieren, een zinloze orgie waarover Julianus' redder met geen woord rept. Samen stijgen ze op naar de eeuwigheid, met achterlating van veel dierlijk bloed dat in stilte kan opdrogen. Dat einde bezegelt een verzoening tussen Julianus en God, maar wat onopgelost blijft smeulen is dat buitensporige geweld tegenover dieren. Dat buitensporige geweld maakt het verhaal van Flaubert gedenkwaardig, maar ook, vond Henry, onbevattelijk en onbevredigend.

Nog eenmaal bladerde hij het door. Opnieuw viel hem op dat zijn lezer met felgeel elke massaslachting van dieren had gemarkeerd, van een enkele muis tot alle schepselen in het paradijs. Dat was al even onbevattelijk.

Behalve het verhaal zat er nog iets in de envelop. Met een andere paperclip werd een tweede stapel A4'tjes bijeengehouden. Het leek een fragment uit een toneelstuk, titel onbekend, schrijver onbekend. Henry had zo'n idee dat zijn markerende lezer de auteur was. De moed zakte hem in de schoenen. Hij stopte Flaubert en het toneelstuk weer in de envelop en legde die onder op de stapel post. Hij had bedacht dat er achter in de opslagruimte nog een nieuwe zending cacao moest worden gesorteerd.

In de loop van enkele weken, waarin hij de post van andere lezers afhandelde, belandde de envelop echter weer boven op de stapel. Op een avond woonde Henry een repetitie bij. Het theater waar zijn amateurspelers hun stukken opvoerden, was een voormalige kas van een groot tuinbouwbedrijf, vandaar de naam van het gezelschap: Toneelgroep De Kas. Er was een multifunctioneel podium gebouwd, en de rijen planken voor potplanten waren vervangen door rijen comfortabele stoelen, allemaal dankzij een filantroop. De stelregel dat locatie de sleutel is tot het succes van een onderneming is ook van toepassing op de kunst, en zelfs op het leven: we gedijen of kwijnen naargelang de voedzaamheid van onze omgeving. Die verbouwde kas was een ongebruikelijke locatie voor een theater: vanaf het podium had je ook zicht op de wereld (of, prozaïscher gesteld: je kon een glimp opvangen van de koude buitenwereld terwijl jij je binnen koesterde in warmte en intimiteit). Op een avond zat Henry voor het podium waarop flink werd geschmierd, en hij bedacht dat dit wel een goed moment was om te bekijken hoe zijn Flaubert-lezer het er als toneelschrijver afbracht. Hij haalde het toneelstuk tevoorschijn en begon te lezen.

(*Vergilius en Beatrice zitten aan de voet van de boom. Ze staren met nietsziende blik voor zich uit. Stilte.*)

VERGILIUS: Ik zou heel wat overhebben voor een peer.

BEATRICE: Een peer?

VERGILIUS: Ja. Een rijpe, sappige peer.

(*Korte stilte.*)

BEATRICE: Ik heb nog nooit een peer gegeten.

VERGILIUS: Hè?

BEATRICE: Ik geloof zelfs dat ik er nog nooit een heb gezien.

VERGILIUS: Hoe kan dat nou? Het is een heel gewone vrucht.

BEATRICE: Mijn ouders aten altijd appels en wortels. Ze hielden zeker niet van peren.

VERGILIUS: Maar peren zijn juist zo lekker! Wedden dat er hier vlakbij een perenboom staat? (*Hij kijkt om zich heen.*)

BEATRICE: Geef eens een beschrijving van een peer. Hoe ziet een peer eruit?

VERGILIUS: (*leunt op zijn gemak achterover*) Ik kan het proberen. Eens kijken… Om te beginnen heeft een peer een bijzondere vorm. Hij is rond en dik aan de onderkant, maar loopt naar boven taps toe.

BEATRICE: Net als een kalebas.

VERGILIUS: Een kalebás? Je weet wel wat een kalebas is, maar je weet niet wat een peer is? Vreemd, de dingen die we wel en niet weten. Hoe dan ook, nee, een peer is kleiner dan de gemiddelde kalebas, en de vorm is veel mooier om te zien. Een peer loopt symmetrisch taps toe, de bovenhelft zit recht midden op de onderhelft. Zie je voor je wat ik bedoel?

BEATRICE: Ik geloof van wel.

VERGILIUS: Laten we met de onderste helft beginnen. Kun je je een dikke, ronde vrucht voorstellen?

BEATRICE: Zoiets als een appel?

VERGILIUS: Niet helemaal. Als je je een appel voor de geest haalt, zie je dat de omtrek in het midden van de vrucht het grootst is, of in het bovenste derde gedeelte, ja toch?

BEATRICE: Je hebt gelijk. Maar dat is bij een peer niet zo?

VERGILIUS: Nee. Je moet je een appel voorstellen die in het onderste derde gedeelte op z'n dikst is.

BEATRICE: Ik zie het voor me.

VERGILIUS: Maar we moeten de vergelijking niet te ver doortrekken. De onderhelft van een peer lijkt niet op die van een appel.

BEATRICE: O nee?

VERGILIUS: Nee. De meeste appels zitten op hun billen, bij wijze van spreken, op een ronde rand of op vier of vijf punten die voorkomen dat ze omvallen. Voorbij de billen, ietsje hoger, daar zou de anus van de vrucht zitten als de vrucht een dier was.

BEATRICE: Ik snap precies wat je bedoelt.

VERGILIUS: Nou, een peer is heel anders. Een peer heeft geen billen, maar een ronde onderkant.

BEATRICE: Maar hoe blijft hij dan staan?

VERGILIUS: Hij kan ook niet staan. Een peer bungelt aan een boom of ligt op zijn kant.

BEATRICE: Net zo wiebelig als een ei.

VERGILIUS: Er is nog iets met de onderkant van een peer: de meeste peren hebben niet van die verticale groeven zoals sommige appels wel hebben. De meeste peren hebben een gladde, ronde, gelijkmatige onderkant.

BEATRICE: Fascinerend.

VERGILIUS: Dat is het zeker. Zullen we nu via onze fruitevenaar naar het noorden gaan?

BEATRICE: Ik ga met je mee.

VERGILIUS: Daar begint de peer taps toe te lopen, zoals ik al eerder zei.

BEATRICE: Ik zie het niet goed voor me. Eindigt die vrucht in een punt? Is hij kegelvormig?

VERGILIUS: Nee. Denk maar aan de punt van een banaan.

BEATRICE: Welke punt?

VERGILIUS: De onderste, die je in je hand houdt als je er een aan het eten bent.

BEATRICE: Wat voor soort banaan dan? Er zijn honderden soorten.

VERGILIUS: O ja?

BEATRICE: Ja. Sommige zijn zo klein als dikke vingers, andere lijken wel knuppels. En ze verschillen ook van vorm, én van smaak.

VERGILIUS: Ik bedoel van die gewone gele bananen die echt lekker zijn.

BEATRICE: De *Musa sapientum*. Waarschijnlijk denk je aan de variëteit Gros Michel.

VERGILIUS: Ik ben diep onder de indruk.

BEATRICE: Ik heb verstand van bananen.

VERGILIUS: Meer dan een aap. Goed, neem het ondereind van een banaan en zet dat op een appel, maar hou wel rekening met de verschillen tussen appels en peren die ik daarnet heb beschreven.

BEATRICE: Een interessante enting.

VERGILIUS: Nu maak je de lijnen gladder, flauwer. Laat de banaan zachtjes uitdijen terwijl hij overgaat in de appel. Zie je het voor je?

BEATRICE: Ik geloof van wel.

VERGILIUS: Nog één detail. Helemaal boven aan die appel-banaancomposiet moet je een bijzonder taai steeltje toevoegen, echt een steel als een boomstam. Nou, en dan heb je ten naaste bij een peer.

BEATRICE: Zo te horen is een peer een prachtige vrucht.

VERGILIUS: Dat klopt. Wat de kleur betreft, een peer is meestal geel met zwarte vlekjes.

BEATRICE: Ook net als een banaan dus.

VERGILIUS: Nee, het lijkt er niet op. Het geel van een peer is niet zo fel, niet zo dof en ondoorzichtig. Het is een lichter, doorschijnend geel, het gaat in de richting van beige, maar niet crèmekleurig, eerder waterig, bijna met de visuele textuur van een aquarel. En de vlekjes zijn ook wel eens bruin.

BEATRICE: Hoe zijn die vlekjes verdeeld?

VERGILIUS: Niet zoals de vlekken van een luipaard. Het is niet zozeer een kwestie van echte vlekken, meer van stukken die donkerder zijn, afhankelijk van hoe rijp de peer is. O ja, een rijpe peer krijgt makkelijk beurse plekken, dus je moet er voorzichtig mee zijn.

BEATRICE: Natuurlijk.

VERGILIUS: Nu de schil. Het is een eigenaardige schil, die van de peer, moeilijk te beschrijven. We hadden het over appels en bananen.

BEATRICE: Ja.

VERGILIUS: Die hebben een egale, gladde schil.

BEATRICE: Dat is zo.

VERGILIUS: Een peer heeft een minder egale of gladde schil.

BEATRICE: O ja?

VERGILIUS: Jazeker. Een peer heeft een ruwere schil.

BEATRICE: Net als die van een avocado?

VERGILIUS: Nee. Maar nu je over avocado's begint, de vorm van een peer lijkt wel een beetje op die van een avocado, maar de onderkant van een peer is meestal dikker.

BEATRICE: Interessant.

VERGILIUS: Een peer loopt bovenaan opvallend veel spitser toe dan een avocado. Toch lijken ze heel erg op elkaar.

BEATRICE: Ik zie de vorm duidelijk voor me.

VERGILIUS: Maar de schil is niet te vergelijken! De schil van een avocado is wrattig als de huid van een pad. Een avocado ziet eruit als een melaatse groente. Het bijzondere aan de peer is een dun soort ruwheid, hij voelt teer en interessant aan. Als je het honderd keer kon versterken, weet je hoe het dan zou klinken als er vingertoppen over de schil van een droge peer gleden?

BEATRICE: Nou?

VERGILIUS: Dan zou het klinken als de diamant van een platenspeler die in de groef wordt gezet. Datzelfde dansende geknister, net als een vuurtje van heel droge, heel lichte takjes.

BEATRICE: Een peer is vast de mooiste vrucht op de hele wereld!

VERGILIUS: Ja, dat is ook zo! De schil van een peer in al zijn glorie.

BEATRICE: Kun je hem eten?

VERGILIUS: Natuurlijk. We hebben het niet over de stugge, weerbarstige schil van een sinaasappel. Als een peer rijp is heeft hij een zachte schil die meegeeft.

BEATRICE: En hoe smaakt een peer?

VERGILIUS: Wacht even. Je moet er eerst aan ruiken. Een rijpe peer ademt een waterig, subtiel aroma uit, de kracht zit 'm in de lichtheid van de indruk op de reukzin. Kun je je de lucht van nootmuskaat of kaneel voor de geest halen?

BEATRICE: Jazeker.

VERGILIUS: De geur van een rijpe peer heeft dezelfde uitwerking op de geest als zulke specerijen. De gedachten staan even stil, gefascineerd, en er borrelen duizend en een herinneringen en associaties op terwijl de geest diep moet graven om de aantrekkingskracht van die verlokkelijke geur te doorgronden – wat trouwens nooit zal lukken.

BEATRICE: Maar hoe smaakt een peer? Ik word nu wel erg nieuwsgierig.

VERGILIUS: Een rijpe peer is een symfonie van sappig en zoet.

BEATRICE: O, dat klinkt lekker.

VERGILIUS: Als je een peer doorsnijdt, zul je zien dat het vruchtvlees stralend wit is. Er gloeit licht binnenin. Iemand die een mes en een peer bij zich heeft, is nooit bang in het donker.

BEATRICE: Ik moet er een hebben.

VERGILIUS: De structuur van een peer, de consistentie, is ook lastig onder woorden te brengen. Sommige peren zijn een beetje knapperig.

BEATRICE: Net als een appel?

VERGILIUS: Nee, het lijkt er niet op! Een appel wil niet worden opgegeten, hij biedt weerstand. Een appel wordt niet verorberd maar veroverd. De knapperigheid van een peer is veel aantrekkelijker. Hij geeft mee en hij is zacht. Het eten van een peer doet denken aan… een kus.

BEATRICE: O hemel. Dat klink erg lekker.

VERGILIUS: Het vruchtvlees van een peer is soms een beetje korrelig. En toch smelt het in je mond.

BEATRICE: Hoe is het mogelijk.

VERGILIUS: Elke peer heeft dat. En dat gaat alleen maar over hoe hij eruitziet, aanvoelt, ruikt, weerstand biedt. Ik heb je nog niet verteld hoe hij smaakt.

BEATRICE: Lieve god!

VERGILIUS: Voor de smaak van een goede peer geldt: als je er een eet, als je je tanden in dat heerlijks zet, bestaat er niets anders meer. Je enige wens is die peer opeten. Je wilt er liever bij zitten dan bij staan. Je doet het liever alleen dan in gezelschap. Je hebt liever stilte om je heen dan muziek. Al je zintuigen gaan op non-actief, behalve je smaakvermogen. Je ziet niets, je hoort niets, je voelt niets – tenminste, alleen voor zover het je waardering verhoogt voor de goddelijke smaak van je peer.

BEATRICE: Maar hoe smaakt hij nou eigenlijk?

VERGILIUS: Een peer smaakt als, hij smaakt als... (*Hij zoekt naar woorden. Schouderophalend geeft hij het op.*) Ik weet het niet. Ik kan het niet onder woorden brengen. Een peer smaakt naar zichzelf.

BEATRICE: (*treurig*) Ik wou dat jij een peer had.

VERGILIUS: En als ik er een had, zou ik hem aan jou geven. (*Stilte.*)

Die stilte vormde de afsluiting van de scène. Henry herkende de namen van de personages uit Dante, want tijdens zijn studie had hij *De goddelijke komedie* gelezen, maar daar schoot hij niet veel mee op. Hij wist niet wat te denken van dit compacte toneelstukje: het was een druppel waarin de wereld onduidelijk werd weerkaatst. De regel 'Iemand die een mes en een peer bij zich heeft, is nooit bang in het donker' sprak hem aan. Bovendien zat er een mooie cadans in: hij kon zich voorstellen dat twee acteurs zich helemaal in de scène konden verplaatsen. Maar het verband tussen het verhaal over de heilige Julianus de Gastvrije en deze gedreven, door honger ingegeven dialoog over een ondefinieerbare peer ontging hem.

In de envelop zat ook nog een getypt briefje.

```
Geachte heer,
Ik heb uw boek vol bewondering gelezen.
Ik heb uw hulp nodig.
Hoogachtend,
```

De handtekening was amper leesbaar. Het tweede gedeelte, dat de achternaam moest voorstellen, was niet meer dan een krullig lijntje. Henry kon geen enkele afzonderlijke letter onderscheiden, noch het aantal lettergrepen dat dit krabbeltje zou moeten weergeven. Maar de voornaam kon hij wel ontcijferen: Henry. Onder de achteloze ondertekening stond een adres in de stad en een telefoonnummer.

Zijn hulp... Wat hield dat in? Wat voor hulp? Zo nu en dan stuurden lezers Henry een proeve van hun literaire kunnen op. Doorgaans waren die vaardig geschreven, meer ook niet, maar niettemin antwoordde hij bemoedigend, omdat hij het idee had dat het niet aan hem was om zo iemand zijn droom te ontnemen. Was dat de hulp waar deze lezer behoefte aan had: lovende woorden, redactionele feedback, contact? Of ging het om een ander soort hulp? Hij ontving wel vaker vreemde verzoeken.

Zou Henry een tiener zijn? Dat verklaarde wellicht de aandacht voor de bloederige kanten van het verhaal van Flaubert en het gebrek aan belangstelling voor het religieuze thema. Maar het toneelstuk was soepel geschreven, de zinnen waren onberispelijk, spelling en grammatica foutloos, en er zaten geen syntactische blunders in. Een boekenwurm met een goede leraar? Met een trotse moeder die haar schrijver in de dop had gecorrigeerd? Zou een tiener zo'n bondig briefje schrijven?

Weer legde Henry de envelop terzijde. Er verstreken enkele weken: werken bij The Chocolate Road, twee muzieklessen per week en elke dag oefenen, toneelrepetities, een ontluikend sociaal leven nu hij en Sarah vrienden begonnen te maken, de grote stad die op cultureel gebied zoveel te bieden had, enzovoort. Bovendien hielden Erasmus en Mendelssohn hem bezig. Hij raakte veel meer bij ze betrokken dan hij had verwacht: fysiek bij Erasmus, fysiek en filosofisch bij Mendelssohn, zou je kunnen zeggen. Samen met laatstgenoemde verkende Henry de stilte die katten zo cultiveren: als de poes bij hem schoot lag, hij haar zachtjes kroelde en zij begon te spinnen, moest hij denken aan een boeddhistische monnik die mediteerde op de mantra *Om, Om, Om*, en dan verviel hij zelf in gedachteloze overpeinzingen – en opeens was de dag half om en had hij nog niets gedaan. De compensatie voor dit gebrek aan concreet resultaat was vaak een lange wandeling met Erasmus. Het was een vrolijk beest dat alert op zijn omgeving reageerde en altijd overal voor in was. Het verbaasde Henry hoezeer hij van het gezelschap van de hond genoot. Het was gênant, maar hij betrapte zich erop dat hij tegen Erasmus praatte, zowel in de beslotenheid van hun flat als tijdens hun wandelingen. De hond keek alsof hij precies begreep waar Henry het over had.

De envelop staarde hem evenwel vanaf zijn werktafel nog steeds aan, of protesteerde, oneerbiedig dubbelgevouwen, in zijn rugzak.

Uiteindelijk trokken de bondigheid van het briefje, waar geen woord te veel in stond, en de bereikbaarheid van het adres Henry over de streep, en hij ging kijken waar zijn naamgenoot woonde. Een goed excuus om een flinke wandeling te maken met Erasmus. Hij zou een briefje schrijven aan Henry... Henry wie? Henry bekeek de envelop. Alleen het adres van de afzender, maar geen naam. Geen nood: hij zou Henry Dinges er op zijn gebruikelijke kaart voor bedanken dat hij zijn schepping met hem had willen delen en om hem succes te wensen – met daaronder een leesbare handtekening, maar zonder adres. *Ik was toevallig in de buurt*, zou hij schrijven, en dan zou hij de kaart bij de man in de brievenbus stoppen.

Enkele dagen later schreef Henry aan Henry. Over het toneelstuk zei hij:

> ...Ik vond het stuk goed opgebouwd en de personages interessant. De luchtige toon deed prettig aan en het tempo was prima, zodat de scène als geheel uitstekend werkte. U kunt een peer boeiend neerzetten. Vooral de zin 'Iemand die een mes bij zich heeft...' sprak me aan. De namen van de personages – Vergilius en Beatrice – intrigeerden me. De toespeling op *De goddelijke komedie* van Dante maakte mijn waardering voor uw werkstuk des te groter. Mijn complimenten. Ik wens u...

Henry vroeg zich af of zijn lezer door het betekenisloze gebeuzel over Dante heen zou kijken. Over het verhaal van Flaubert schreef hij:

> ...moet ik u bedanken voor het verhaal van Flaubert. Ik kende 'De legende van de heilige Julianus de Gastvrije' nog niet. U hebt gelijk: de jacht is bijzonder levendig beschreven. Heel bloederig! Wat heeft dat allemaal te betekenen?...

'Sarah, ik ga een eindje wandelen. Heb je zin om mee te gaan?' vroeg Henry.

Sarah gaapte en schudde haar hoofd. Ze was zwanger, blaakte van gezondheid maar had aldoor slaap. Henry trok zijn jas aan en ging samen met Erasmus op pad. Het was stralend zonnig maar koud, slechts een paar graden boven nul.

Het was verder lopen dan Henry had gedacht. Wat zijn ogen op de kaart hadden gezien had hij niet goed vertaald in de afstand die hun voeten en poten in werkelijkheid moesten afleggen. Ze kwamen in een buurt die hij niet kende. Hij keek naar de gebouwen, woningen zowel als bedrijven, zag hoe ze van karakter veranderden en hoe de geschiedenis van de stad en haar inwoners in de architectuur tot uiting kwam. Zijn longen zogen zich vol koude lucht.

Zijn bestemming voerde hem naar het mindere gedeelte van een dure winkelstraat die kon bogen op enkele chique zaken, waaronder een fraaie bruidswinkel, een juwelier, een trendy restaurant en helemaal aan het eind rechts een aantrekkelijk café met een groot terras. Vanwege het weer ontbraken daar de tafels en stoelen, maar op een gemetselde muur die je zag als je de straat binnen liep, werd warmte in het vooruitzicht gesteld door een geschilderde kop koffie waaruit geurige damp opkringelde. Ter hoogte van het café boog de straat naar links en meteen daarna naar rechts. Voorbij die tweede hoek was aan de linkerkant van de straat weer een rij winkels en aan de rechterkant de hoge blinde bakstenen muur van een groot pand. Een klein eindje verderop boog de straat naar rechts. De kronkelige geometrie was duidelijk te wijten aan het gebouw dat er met de achterkant naartoe stond: het was zo imposant groot dat de straat er met een paar haakse hoeken omheen moest. Henry liep samen met Erasmus verder. De winkels aan het tweede gedeelte van de straat waren bescheidener van opzet. Henry zag een stomerij, een stoffeerder, een kruidenier. Hij hield de nummers in de gaten, ze waren er bijna: 1919... 1923... 1929... Hij sloeg de hoek om – en stond als aan de grond genageld.

Vanaf de overkant werd hij aangekeken door een okapi, die met zijn kop omhoog zijn kant op gedraaid stond, alsof hij hem verwachtte. Erasmus had er geen erg in. Hij snuffelde vol belangstelling aan de muur. Henry trok hem mee en stak de straat over om een kijkje te nemen. In een grote, driekantige etalage stond – de verleiding was groot om te zeggen wóónde, vond Henry – een opgezette okapi, onontkoombaar en groots, in een diorama van een broeierig Afrikaans oerwoud. De bomen en lianen van het diorama sprongen uit de erker over op de omringende bakstenen muur in de vorm van een vakkundige trompe-l'oeil. Het dier was één meter tachtig hoog.

De okapi is een eigenaardig beest. Het heeft de gestreepte poten van een zebra, het lijf van een grote roodbruine antilope en de kop en de afhangende schouders van een giraffe, waarvan hij dan ook familie is. Als je de verwantschap eenmaal kent, zie je het ook: de okapi ziet eruit als een giraf met een korte hals, waarbij alleen de gestreepte poten en de grote ronde oren uit de toon vallen. Het is een vreedzame herkauwer, schichtig en solitair, die pas in 1900 door Europeanen is ontdekt in de regenwouden van de Congo, hoewel hij bij de inheemse bevolking vanzelfsprekend allang bekend was.

Het exemplaar waar Henry naar keek was een schitterend werkstuk. Het krachtige silhouet, de natuurlijke houding, de fraai weergegeven habitat – alles bij elkaar opmerkelijk. Hier bevond zich, in een overigens buitengewoon kunstmatige omgeving, een klein maar schitterend stukje tropisch Afrika. Het enige wat de illusie van echtheid verstoorde was dat de okapi niet ademde.

Henry bukte zich om te zien of hij op de buik of de poten van het dier sporen van stiksel kon ontdekken. Niets daarvan: de gladde vacht plooide zich over de spieren, met hier en daar rimpelende aderen. Hij keek naar de ogen: ze leken vochtig en zwart. De oren stonden gespitst, luisterden aandachtig. Het was of de neus zó kon gaan trillen. De poten stonden klaar om ervandoor te gaan. Als bewijsstuk legde het tafereel hetzelfde gewicht in de schaal als een foto: het gevoel dat dit een onbetwistbare weergave was van de werkelijkheid, want op het moment dat de opname werd gemaakt móest de fotograaf ter plekke zijn om diezelfde werkelijkheid te delen. Deze getuigenis bezat echter een toegevoegde ruimtelijke dimensie. Dat aspect van het kunststuk wekte Henry's bewondering: het was een driedimensionale foto. Het volgende moment zou de okapi op de vlucht slaan, zoals een okapi in het wild zou doen als hij de sluiter hoorde klikken.

Even later pas zag Henry het huisnummer boven de deur rechts: 1933. Het adres dat hij zocht! Boven de erker zat een zwart bord met gouden letters: OKAPI TAXIDERMIE. Henry keek achterom in de richting waar hij vandaan was gekomen. Als hij zijn hals een beetje rekte kon hij een stukje van de kruidenier zien, maar verder was de straat om de hoek aan het zicht onttrokken. Een paar passen de andere kant op was weer een bocht, naar links, waarna de straat zijn weg vervolgde nu het grote bakstenen pand was gepasseerd. Okapi Taxidermie was de enige zaak aan dit weggestopte stukje straat. Zo'n oase van rust was ideaal voor een okapi, maar dodelijk voor een zaak en om moedeloos van te worden voor de eigenaar, die niet meeprofiteerde van de drukke klandizie waar het betere gedeelte van de straat zich in kon verheugen.

Een taxidermist. Ook dat kon de belangstelling verklaren voor de opgejaagde dieren van de heilige Julianus. Henry aarzelde geen ogenblik. Hij was van plan geweest zijn kaart in de brievenbus te doen, maar hij had nog nooit een taxidermist ontmoet. Hij wist niet eens dat taxidermisten nog bestonden. Met Erasmus kort aangelijnd duwde hij de deur open, en samen gingen ze Okapi Taxidermie binnen. Er klingelde een belletje. Hij sloot de deur. Door een glazen paneel aan zijn linkerhand kon hij het diorama blijven bewonderen. Nu zag Henry de okapi door de warrige lianen van opzij, alsof hij een ontdekkingsreiziger in een oerwoud was die hem besloop. Wat waren de impulsen van natuurlijke selectie toch wonderlijk: zebra's kregen een hele jas met strepen toebedeeld, okapi's alleen de leggings. Toen Henry hoger in het diorama keek zag hij dat een van de onopvallend aangebrachte lampen, in een hoekje boven de erker, op een langzaam zwenkend mechanisme was bevestigd. In de hoek ertegenover hing een kleine ventilator die ook heen en weer draaide. Hij vermoedde waarvoor ze dienden: door het licht telkens anders over de uitstalling te laten spelen, door de bladeren heel zachtjes te laten ritselen, werd de levensechtheid nog vergroot. Hij keek nog eens goed naar de slingerplanten. Hij zag geen enkel randje plastic of eindje ijzerdraad of iets anders wat de illusie verstoorde. Waren ze dan echt? Dat kon toch niet. Niet in dit gematigde klimaat, al had je nog zulke groene vingers. Misschien waren ze wel echt maar op de een of andere manier geprepareerd, gemummificeerd.

'Kan ik u helpen?' klonk een zachte, vaste stem.

Henry draaide zich om. Hij werd toegesproken door een lange man. Erasmus begon te grommen. Henry gaf een ruk aan de lijn. Voordat hij kon antwoorden zei de man: 'O, u bent het. Een ogenblikje alstublieft', en hij verdween naar opzij en uit het zicht. *U bent het?* Henry vroeg zich af of de man hem had herkend.

De vraag werd verdrongen door wat zijn ogen allemaal zagen. Op een toonbank naast het diorama met de okapi stond een stokoude, zilverkleurige kassa met grote druktoetsen. Aan de muur achter de toonbank en aan de achterwand van het diorama hingen vier lichtgele dingen van fiberglas, elk bevestigd op een wapenschildvormig plankje. Het duurde even voordat Henry begreep wat het waren: modellen van koppen, de basis om de snuit en het gewei van gedode dieren op aan te brengen. Daaronder tegen de wand de parafernalia van de taxidermie: een paneel met glazen oogballen in alle maten, onregelmatig aflopend van groot naar klein, in één sprong van golfbalformaat tot knikkerformaat, maar daarna met veel kleinere stapjes, de meeste zwart, maar sommige gekleurd en voorzien van vreemde pupillen; een paneel met rechte en kromme naalden in diverse lengten; een rekje met potjes verf; flessen met verschillende soorten vloeistof, pakjes met allerlei poeder, zakken met allerlei vulsel, bolletjes van allerlei garen en touw, en boeken en tijdschriften over taxidermie. Dat alles stond op en onder een tafel die zo te zien echte zebrapoten had. Naast de tafel stond een vitrine met diverse soorten insecten en kleurige vlinders in verschillende uitstalkastjes; sommige toonden een enkel opvallend exemplaar – een grote blauwe vlinder of een tor die iets weg had van een kleine neushoorn – andere bevatten enkele exemplaren, met variatie als thema.

Rechts van de toonbank werd de hele ruimte in beslag genomen door het grotere, opvallender gereedschap van de taxidermist. Diepe schappen, drie rijen boven elkaar, liepen langs de wanden van het vertrek, en het was een groot vertrek met een hoog plafond. In het midden stond een vrijstaande kast, ook over de hele lengte. De planken daarvan waren stuk voor stuk volgestouwd met allerlei dieren van verschillende grootte, met vacht en met veren, met vlekken en met schubben, zowel rover als prooi. Ze stonden allemaal stokstijf, alsof ze verrast waren door Henry's verschijning en elk moment konden reageren – bliksemsnel, zoals dieren dat doen – en er een pandemonium van gegrom en gekrijs en gekef en gejank kon losbarsten, zoals op de dag dat de ark van Noach leegstroomde.

Het gekke was dat Erasmus, het enige levende dier in het vertrek, zich niets aantrok van alle wilde exemplaren. Omdat ze niet meer roken zoals in de natuur? Omdat ze griezelig bewegingloos waren? Wat de reden ook was, ze deden hem niet meer dan een saaie beeldententoonstelling, en hij besteedde geen aandacht aan ze. Met een zucht liet hij zich op de grond ploffen en hij legde zijn kop op zijn poten; hij verveelde zich net zo stierlijk als een kind in een museum.

Henry daarentegen keek met grote ogen rond. Er ging een tinteling van opwinding door hem heen. Dit was een toneel vol verhalen. Hij bestudeerde een groep van drie tijgers in het midden van het vertrek. Een mannetje stond ineengedoken strak voor zich uit te turen, met zijn oren naar achteren, zijn haren recht overeind. Vlak achter hem stond een vrouwtje, met een poot geheven, haar tanden ontbloot, haar staart verontrust omhoog gekruld. Ten slotte een welp, met zijn kop opzij gewend, even afgeleid, maar ook hij was bang, had zijn klauwen uitgeslagen. De angstige spanning die het drietal uitstraalde was tastbaar, enerverend. Ieder moment kon hun instinct de overhand krijgen en kon het tot een uitbarsting komen. Het mannetje zou aanvallen – wat? wie? Een solitair mannetje dat was opgedoken? Er zou een afschrikwekkend gebrul opklinken, en als de mannetjes elk het idee hadden dat inbinden onmogelijk was, vlogen ze elkaar misschien aan. Het vrouwtje zou zich omdraaien, in een oogwenk verdwijnen en door de begroeiing wegspringen, zo snel mogelijk, om haar welp aan te sporen haar bij te houden. De welp zou geen moment verslappen, hoe zijn hart ook tekeerging. Alleen de wetenschap dat die dieren dood waren, morsdood, voorkwam dat Henry door zo'n zelfde vluchtreflex werd bevangen. Maar zijn hart bonkte.

Hij keek om zich heen. Het enige daglicht filterde door het diorama en de ruit in de voordeur naar binnen, en de lampen aan het plafond waren zwak. Door de schaduwen ontstonden er verschillende leefwerelden: bossen, rotsen, takken. Vlakbij zag Henry in een oogopslag muizen, hamsters, cavia's, ratten, een huiskat, een egel, katoenstaartkonijnen, spitsmuizen, twee vleermuizen (een vloog, een hing ondersteboven aan een plank), een nerts, een wezel, een haas, een vogelbekdier, een leguaan, een kiwi, een rode eekhoorn, een grijze vos, een das, een gordeldier, een bever, een otter, een wasbeer, een stinkdier, een maki, een wallaby, een koalabeer, een koningspinguïn en een aardvarken. Er waren groepjes slangen, waaronder een dun, felgroen exemplaar, een opgerichte cobra met breed gerekte hals, en een opgerolde boa waarvan een dikke lus over de plank hing. Verderop kon hij een capibara onderscheiden, een lynx, een stekelvarken, een moeflon met fantastische hoorns, een wolf, een luipaard, een tapir, een leeuw, een of andere gazelle, een zeehond, een jachtluipaard, een baviaan en een chimpansee. Op een plank stonden complete opgezette skeletten van middelgrote viervoeters bij elkaar, een stuk of vijf, en een schedel op een staaf onder een glazen stolp. Achter in het vertrek vertoonden zich een gnoe, een paardantilope, een struisvogel, een grizzlybeer hoog op zijn achterpoten en een nijlpaardjong met een pronkende pauw op zijn rug. De bovenste planken stonden volgepakt met een bonte verzameling vogels: kolibries, papegaaien, eksters en gaaien, eenden en fazanten, haviken en uilen, een toekan, drie kleine pinguïns, een Canadese gans, een kalkoen en andere soorten die Henry niet kon thuisbrengen; sommige vogels zaten op een tak, andere stonden op het punt van opvliegen en weer andere hingen in volle vlucht aan het plafond, dat daardoor aan het oog werd onttrokken. Helemaal achterin ging de wand boven de dieren op de grond schuil achter koppen – leeuwen, tijgers, verschillende herten, een eland, een giraffe, een Indische olifant – waardoor de indruk werd gewekt dat het vertrek het einde was van een tunnel vol dieren en schaduwen.

Afgezien van de koala naast de wallaby, de jaguar naast de tapir, en enkele andere logische paren, was niet duidelijk of er enige ordening was aangebracht. De gevleugelde dieren bevonden zich over het algemeen boven de viervoeters, en de kleine boven de grote, terwijl de heel grote exemplaren zich vooral achterin verdrongen. Maar verder zat er geen enkele lijn in. Met deze hapsnap opstelling waren begrippen als onderscheid en groepering overboord gezet, waardoor vreemd genoeg een algehele indruk was ontstaan van eenheid, een gedeelde cultuur van dierlijkheid. Dit was een gemeenschap, weliswaar met een grote verscheidenheid maar met een onderlinge band.

'Hier heb ik uw boek,' zei de man terwijl hij uit een zijdeur kwam.

De man had Henry herkend. Hij had een scherpe blik. Henry was in geen jaren in de media verschenen, en de man kon dus geen recent beeld hebben van zijn uiterlijk.

'En ik heb een kaart voor u,' antwoordde Henry werktuiglijk, al was hij niet van plan geweest de kaart persoonlijk te overhandigen. 'Zal ik uw boek signeren?'

'Dat is goed.'

Henry stak zijn hand uit. 'Aangenaam met u kennis te maken.'

'O ja.' De zachte hand van de taxidermist sloot zich om die van Henry.

Het boek en de kaart wisselden van eigenaar. Henry signeerde het boek. Hij schreef het eerste wat in hem opkwam: *Voor Henry, een dierenvriend.* Intussen opende de man de envelop en begon de kaart te lezen, waar hij lang over deed. Henry was onzeker over wat hij had geschreven. Maar hij kreeg even de tijd om de man te bestuderen. Hij was ruim één meter tachtig, breedgebouwd en broodmager, zijn kleren slobberden om zijn grove botten. Zijn armen waren lang, zijn handen groot. Zijn zwarte haar was voor het gemak met brillantine naar achteren gekamd, en onder een hoog voorhoofd had hij een bleek, vlak gezicht met een lange neus en zware kaken. Een zestiger zo te zien. Zijn gezicht stond ernstig, de wenkbrauwen fronsten zich, de donkere ogen keken strak. Niet van nature gemakkelijk in de omgang. De handdruk was onwennig geweest, kennelijk een beleefdheidsgebaar waar hij weinig ervaring mee had, en het initiatief tot signeren was duidelijk van Henry uitgegaan, niet van hem.

Erasmus leek nieuwsgierig naar de man, maar deed lang niet

zo toeschietelijk als anders. De hond stond op en liep met kleine stapjes naar de man toe om voorzichtig aan zijn broekspijpen te snuffelen; hij had zijn poten gespreid en was gespannen, klaar om weg te rennen ingeval hij iets verontrustends rook. Toen Henry merkte dat de taxidermist niet, zoals de meeste mensen die een lieve hond ontmoeten, reageerde met een lach of een begroeting of zelfs maar een blik, trok hij Erasmus met een rukje aan de riem weer naar zich toe. Henry kon het niet verklaren, maar hij was zenuwachtig.

'Hebt u last van de hond? Ik kan hem wel even buiten vastbinden,' zei hij.

'Nee,' antwoordde de man zonder van de kaart op te kijken.

'Besteed maar geen aandacht aan die kaart. Ik heb hem in haast geschreven, voor het geval ik u niet zou treffen.'

'Dat geeft niet.' De man vouwde de kaart dicht en legde hem in het boek dat Henry hem had teruggegeven. Hij keek niet wat Henry in het boek had geschreven, noch gaf hij commentaar op de inhoud van de kaart.

'Is dit uw zaak?' vroeg Henry.

'Ja,' antwoordde de man.

'Heel bijzonder. Ik heb nog nooit zoiets gezien. Hoe lang bent u al taxidermist?'

'Al meer dan vijfenzestig jaar. Ik ben op mijn zestiende begonnen en heb nooit meer iets anders gedaan.'

Henry wist niet wat hij hoorde. Meer dan vijfenzestig jaar? Dan moest de man in de tachtig zijn. Dat was hem beslist niet aan te zien.

'Die tijgers zijn heel bijzonder.'

'Het vrouwtje en de welp heb ik gekregen van Van Ingen and Van Ingen, een firma in India, toen ze ermee ophielden. Het mannetje heb ik zelf gedaan, hij komt uit een dierentuin. Hij is doodgegaan aan een hartafwijking.'

De man sprak zonder een zweem van aarzeling en articuleerde helder en zelfverzekerd. Ook was hij niet bang om te zwijgen. Zo spreek ik niet, dacht Henry bij zichzelf. Ik spreek snel en hakkelig, ik struikel over mijn woorden en maak mijn zinnen niet af.

'En zijn al die dieren te koop?'

'Bijna allemaal. Er zijn enkele museumstukken bij die ik heb gerepareerd en die staan te drogen. En een paar demonstratiemodellen. De okapi is niet te koop, en het vogelbekdier en het aardvarken ook niet. Maar de rest, ja, die is wel te koop.'

'Zou ik even mogen rondkijken?'

'Ga uw gang. Geef uw ogen gerust de kost. Alle dieren leven, maar de tijd, die staat stil.'

Henry trok Erasmus mee en begon een rondje te maken door de zaak. De taxidermist bleef waar hij was, zwijgend en starend. Henry ontdekte dat er achter de meeste dieren andere schuilgingen, vaak van dezelfde soort, maar niet altijd. Een kolonie schildpadden was onder de poten van de jachtluipaard gezet. Op de grond naast de moeflon lag een stapel geweien. Achterin bij de struisvogel stonden opgerolde huiden in een hoek, evenals een paar slagtanden en hoorns. Enkele geprepareerde vissen op schilden – forellen en baarzen, een kogelvis – lagen bij de poten van de beer. Voortreffelijk vakmanschap. Over huiden, schubben en veren lag een levendige glans. Henry had het idee dat alle dieren zouden opspringen en vluchten als hij op de grond stampte. En hoewel ze heel dicht opeenstonden had elk dier zijn eigen uitdrukking, zijn eigen plekje, zijn eigen verhaal. Zou hij hier de hertenbok vinden die de heilige Julianus de Gastvrije had vervloekt? Of misschien de beren die met een dolk, de stieren die met een bijl en de bever in het meer die met een pijl waren omgebracht?

De slurf van de olifant was onder handbereik. In een neusgat vormde zich een glanzend druppeltje, alsof het dier net lekker nat had geniesd. Henry had de neiging om het druppeltje aan te raken. Maar hij wist – dat zei zijn verstand – dat hij alleen een harde druppel heldere synthetische hars zou voelen.

'Komen er wel eens mensen een kant-en-klaar dier kopen?' vroeg hij.

'Soms.'

'Jagers brengen u ook wel eens dieren, neem ik aan?'

'Ook dat.'

'Aha.'

De taxidermist was een man van weinig woorden. Henry hurkte, richtte zijn blik op een wolf en wachtte af. Nu was het de beurt van de taxidermist om een bijdrage aan het gesprek te leveren, vond hij. Per slot van rekening was Henry naar hem toe gekomen, had dat hele eind gelopen, en de man had gezegd dat hij zijn hulp nodig had. Bovendien wilde Henry best nog even blijven rondkijken. De wolf rende, zijn voorpoten zweefden in de lucht en reikten naar de grond voor hem. Vooral de opgetrokken schouders droegen bij aan de onstuitbare voorwaartse springbeweging van het dier. De rechterachterpoot, die net had afgezet, wees recht naar achteren. Het hele dier werd dus op één achterpoot in een volmaakt natuurlijke houding in de lucht gehouden. Tegen de muur stond nog een wolf, groot en stil; met zijn kop opzij keek hij achteloos nieuwsgierig de verte in – het toonbeeld van perfect dierlijke waardigheid.

'Misschien zou u me nu het een en ander over Okapi Taxidermie kunnen vertellen,' opperde Henry ten slotte.

Dat werkte. Hij had het juiste onderwerp aangeroerd. De taxidermist stak van wal met een speech. 'Wij van Okapi Taxidermie prepareren op vakkundige wijze de natuur. Huiden, koppen, hoorns, hoeven, trofeeën, kleden, schepsels uit de natuur in alle mogelijke standen, de kop of het geheel – wij zijn deskundig niet alleen op het gebied van de taxidermie maar ook op dat van de osteologie, dat wil zeggen het prepareren en opzetten van schedels, botten en gelede skeletten. Wij zijn ook meesters in alle technieken en kenners van alle materialen die nodig zijn voor het opbouwen van elke gewenste habitat om uw opgezette dier in uit te stallen, van de eenvoudigste tak tot het ingewikkeldste diorama. Wij maken alle soorten modellen voor amateurtaxidermisten die zelf een geliefd of bijzonder dier willen opzetten. Wij kunnen bovendien uit dierlijke lichaamsdelen elk gewenst siervoorwerp of meubelstuk maken. Wij leveren alle taxidermische benodigdheden, van verf voor geprepareerde vissen, ogen in alle soorten, gereedschap en vulsels en naalden en garens en houten schilden, tot de meer gespecialiseerde benodigdheden voor natuurgetrouwe diorama's. Wij vervaardigen op bestelling vitrines in alle vormen en formaten, voor zoogdieren, vogels, vissen en skeletten. Wij zijn leveranciers van kunsthazen voor windhondenrennen. Wij kunnen de levenscyclus voor u prepareren, of het nu gaat om de ontwikkeling van kuikenembryo's of om de levenscyclus van kikkers of vlinders, echt en geprepareerd, of desgewenst vergroot in gips. Wij kunnen ook modellen maken van dieren die de levenscyclus verstoren: vlooien, tseetseevliegen, huisvliegen, muggen en dergelijke. Wij hebben ruime ervaring met het verpakken in kisten en kratten van taxidermisch werk, zodat het veilig en wel op de plaats van bestemming aankomt. Wij verkopen onze opgezette dieren, maar wij verhuren ze ook. Wij repareren. Wij houden ons bezig met alles wat vuil, verweerd, verkleurd, beschadigd of gehavend is, gekrompen, vermolmd, verrot, ingevallen, uitgevallen, kaal, kapot of aangevreten door insecten. Wij maken schoon en verwijderen stof – stof is de eeuwige vijand van de taxidermist. Wij verstellen. Wij kammen en borstelen. Wij zetten geweien in de olie en polijsten slagtanden en ivoor. Wij voorzien vissen van nieuwe verf en schellak. Wij repareren en vernieuwen groepen dieren in hun habitat en in diorama's. Wij zien geen detail over het hoofd. Wij geven garantie op alles wat we doen en leveren uitgebreide nazorg en klantenservice voor een schappelijke prijs. Wij zijn een gerenommeerd bedrijf met een lange lijst tevreden cliënten, van uiterst kritische particulieren tot uiterst kieskeurige professionals. Wij bieden, kortom, alle mogelijke taxidermische diensten onder één dak.'

En dat alles had de taxidermist moeiteloos achterelkaar uitgesproken, met zijn armen langs zijn lichaam, zonder storende zenuwtrekjes, als een acteur op het toneel. Hij zou goed passen in mijn amateurtoneelgezelschap, dacht Henry. Het telkens herhaalde 'wij' was hem opgevallen. Hij vroeg zich af of de meervoudsvorm van het persoonlijk voornaamwoord achter Okapi Taxidermie – wij zijn, wij maken, wij doen – voor de kleine ondernemer het equivalent was van de pluralis majestatis, bedoeld om een gewichtiger, overtuigender indruk te wekken dan een eenzame oude man die nog moest werken voor zijn brood.

'Ik ben diep onder de indruk. Hoe staat de branche ervoor?'

'Ten dode opgeschreven. De taxidermie is een kwijnende bedrijfstak, al jaren, dat geldt ook voor de materialen waar we mee werken. Niemand wil nog dieren, een handjevol obligate huisdieren uitgezonderd. De wilde dieren, de echte, die zijn allemaal op hun retour, als ze niet al verdwenen zijn.'

Terwijl Henry naar de toon luisterde en de gezichtsuitdrukking bestudeerde, begon hij enig inzicht te krijgen in de persoonlijkheid van de man: hij was humorloos, vreugdeloos. Hij was even serieus en stemmig als een microscoop. Henry's nervositeit viel van hem af. Hij zou zich als volgt tegenover de man opstellen: hij zou op diens ernstige niveau blijven. Henry verwonderde zich over het toneelstuk dat de taxidermist hem had gestuurd. Een groter contrast dan tussen deze bloedernstige reus en de schertsende dialoog over een peer was niet denkbaar. Maar soms komt er kunst voort uit een verborgen deel van de persoonlijkheid. Misschien ging al zijn luchthartigheid op aan zijn schrijverij, zodat er voor hemzelf niets overbleef. Henry vermoedde dat hij aankeek tegen het gezicht dat de taxidermist de buitenwereld toonde.

'Wat vervelend. Het is duidelijk een vak dat u dierbaar is.'

De taxidermist reageerde niet. Henry keek om zich heen. In een opwelling van medelijden voelde hij zich min of meer geroepen een opgezet dier te kopen. Het vogelbekdier dat op een plank stond weggestopt had zijn aandacht getrokken, maar dat was niet te koop. Het was fraai opgezet op een schild van donker hout, zweefde er een handbreedte boven; het eigenaardige beestje had zijn zwempoten gestrekt, alsof het in een rivier zwom. Henry had de neiging aan de snavel te voelen, maar hij beheerste zich. Tussen de uitgestalde skeletten stond een opvallende schedel. Onder een glazen stolp, op een goudkleurige staaf, net een heilig relikwie. De beenderen blonken hagelwit, en in die witheid zat kracht, evenals in de grote starende oogkassen. Henry liep terug naar voren, met Erasmus naast zich.

'Gewoon uit nieuwsgierigheid: hoeveel kosten die tijgers?' informeerde hij.

De taxidermist liep naar de toonbank, trok een la open en haalde er een notitieboekje uit. Hij bladerde erin.

'Het vrouwtje en de welp zijn, zoals ik al eerder zei, van Van Ingen and Van Ingen. Het zijn niet alleen prachtexemplaren, schitterend opgezet, maar ze zijn ook antiek. Samen met het mannetje komen ze op...' De taxidermist noemde een bedrag.

Henry floot in gedachten. Als die dieren vier wielen hadden, zou je voor die prijs een sportauto kunnen aanschaffen.

'En de jachtluipaard?'

Opnieuw werd het notitieboekje geraadpleegd. 'Die is in de verkoop voor...' en de taxidermist noemde weer een bedrag.

Twee wielen ditmaal: een gestroomlijnde, krachtige motorfiets.

Henry bekeek nog een paar dieren.

'Heel boeiend allemaal. Ik ben blij dat ik gekomen ben. Maar ik zal u niet langer ophouden.'

'Wacht.'

Henry verstrakte. Hij vroeg zich af of alle dieren ook waren verstard.

'Ja?'

'Ik heb uw hulp nodig,' zei de taxidermist.

'O ja. Mijn hulp. Dat schreef u al. Wat had u precies in gedachten?'

Henry vroeg zich af of de man hem een zakelijk voorstel ging doen. Hij had hier en daar kleine bedragen belegd, voornamelijk in ondernemingen die het niet hadden gered. Ging hij nu investeren in een taxidermieconcern? Een intrigerende gedachte. Het idee dat hij betrokken zou zijn bij al deze dieren sprak hem wel aan.

'Komt u maar even mee naar mijn werkplaats.' De taxidermist wees met zijn brede hand naar de zijdeur waardoor hij Henry's boek was gaan halen. Het gebaar had iets autoritairs.

'Goed,' zei Henry, en hij ging naar binnen.

De werkplaats was kleiner dan de winkel, maar beter verlicht. Boven een dubbele deur achterin bevond zich over de hele lengte een tralieraam dat daglicht binnenliet. Het rook er vaag naar chemicaliën. In de gauwigheid nam Henry allerlei dingen in zich op. Een grote, diepe gootsteen. Een plank met een rij boeken. Enkele stevige tafels en werkbanken. De benodigdheden van het vak: potten met chemicaliën, flessen met lijm, een doos met korte metalen staven, een grote kartonnen doos met kapok, rolletjes garen en ijzerdraad, een flinke plastic zak met klei, en planken en stukken hout. Op de tafels lag keurig gerangschikt gereedschap, waaronder scalpels, messen en scharen, tangen en pincetten, dozen met nietjes en spijkertjes, een meetlint, hamers en mokers, zagen en ijzerzagen, een vijl, beitels, klemmen, spatels en penselen. Aan de muur hing een ketting met een haak eraan. Ook hier dieren, op planken en op de grond, maar lang niet zoveel als in de winkel, en sommige waren volkomen leeggehaald tot er alleen nog een hoopje vacht of een bergje veren van over was, en andere vielen onder werk-in-uitvoering. Een model van hout, ijzerdraad en kapok voor een rond dier, waarschijnlijk een grote vogel, lag onafgemaakt op een werktafel. Zo te zien was de taxidermist bezig met een hertenkop. De huid was nog niet goed over het glasvezelmodel getrokken en de bek was een tongloos, tandeloos gapend gat waarin de gele glasvezelkaken van het model zichtbaar waren. De ogen hadden diezelfde gele glans. Het was op het groteske af onnatuurlijk, Frankenstein als hert.

In de hoek tegenover de deur stond een bureau. Tussen allerlei paperassen en spullen zag Henry een woordenboek en een oude elektrische schrijfmachine: de taxidermist had kennelijk geen belangstelling voor moderne technologie. Achter het bureau stond één houten stoel, waar de taxidermist in plaatsnam.

'Gaat u zitten.' De man wees naar de enige andere plek waar dat kon, een eenvoudige kruk voor het bureau. Zonder zich verder om Henry te bekommeren pakte hij een cassettespeler uit een la. Henry ging zitten. De taxidermist zette het apparaat op het bureau en drukte de terugspoelknop in. Gesnor, een hortend geluid, een moeizaam moment, toen klikte de knop omhoog. Hij drukte de afspeelknop in. 'Luister goed,' zei hij.

Eerst hoorde Henry alleen het geknister van een oud bandje dat langs een aftandse opnamekop schuurde. Vervolgens klonk er een ander geluid, aanvankelijk veraf, daarna in golven, helderder. Meerstemmig misbaar, blafferig gebrom. Dat ging een paar seconden zo door, tot er opeens een nieuwe, duidelijke schreeuw naar voren kwam die alles overstemde. Hard en ononderbroken, een krachtige brul die steeds verder aanzwol tot een langdurig gebulder, dat vaag deed denken aan iemand die wakker wordt, zich uitrekt en een machtig gegrom uitstoot, maar dan bovenmenselijk: Nimrod, een Titan, Hercules. De diepe keelklank was zeer indrukwekkend. Henry had nog nooit zoiets gehoord. Welk gevoel werd ermee uitgedrukt? Angst? Boosheid? Verdriet? Hij had geen idee.

Erasmus wist het kennelijk wel. Zodra hij het blaffende gebrom hoorde verstarde hij en spitste hij zijn oren. Henry dacht dat het gewoon nieuwsgierigheid was, maar de hond leek te trillen. Toen het gebrul begon zette Erasmus het op een blaffen. Ook hij was bang of boos. Henry bukte zich, tilde de hond op en drukte hem tegen zich aan om hem tot zwijgen te brengen.

'Neem me niet kwalijk,' zei hij tegen de taxidermist. 'Ik ben zo terug.' Hij haastte zich naar de winkel, waar hij Erasmus aan een poot van de toonbank vastbond. 'Sstt!' zei hij tegen de hond. Hij keerde terug naar de werkplaats.

'Wat was dat?' Hij ging weer op de kruk zitten en wees naar de cassettespeler.

'Dat is Vergilius,' antwoordde de taxidermist.

'Wie?'

'Ze zijn hier allebei.'

Met een hoofdknikje gaf hij te kennen wat hij bedoelde. Voor zijn bureau, tegen de muur, stond een opgezette ezel met op zijn rug een opgezette aap.

'Beatrice en Vergilius? Uit het toneelstuk dat u me hebt gestuurd?' vroeg Henry.

'Ja. Ooit leefden ze nog.'

'Hebt u het geschreven?'

'Ja. Wat ik u heb gestuurd is de openingsscène.'

'Die twee personages zijn díeren?'

'Dat klopt, net als in uw roman. Beatrice is de ezel, Vergilius is de aap.'

Hij was dus inderdaad de schrijver van het toneelstuk. Een toneelstuk met twee dieren die een uitgebreid gesprek voeren over een peer. Henry verbaasde zich. Hij had gedacht dat de voorkeur van de taxidermist zou uitgaan naar een realistische stijl. Kennelijk beoordeelde hij hem verkeerd. Henry keek naar de dramatis personae naast hem. Ze waren buitengewoon levensecht.

'Waarom een aap en een ezel?' wilde hij weten.

'De brulaap is in Bolivia door een team wetenschappers gevangen. Hij is tijdens het vervoer doodgegaan. De ezel is afkomstig van een kinderboerderij. Hij is aangereden door een bestelwagen. Een kerk overwoog hem in een kerstspel te gebruiken. Ze zijn toevallig op dezelfde dag hier afgeleverd. Ik had nog nooit een ezel geprepareerd, een brulaap trouwens ook niet. Maar de kerk bedacht zich en het wetenschappelijk instituut had de brulaap bij nader inzien niet nodig. Ik heb de aanbetalingen en de dieren gehouden. Ze zijn ook op een en dezelfde dag afgedankt, en daardoor zag ik ze in gedachten altijd samen. Ik heb ze geprepareerd, maar ik heb ze nooit tentoongesteld en ze zijn niet te koop. Ik heb ze nu een jaar of dertig. Vergilius en Beatrice, mijn gidsen door de hel.'

De hel? Welke hel, vroeg Henry zich af. Maar het verband met *De goddelijke komedie* was hem nu tenminste duidelijk. Vergilius leidt Dante door de hel en het vagevuur, en daarna leidt Beatrice hem door het paradijs. En is het voor een taxidermist met literaire aspiraties niet vanzelfsprekend om zijn personages te modelleren naar het materiaal waarmee hij dag in, dag uit werkt? Logisch dus dat hij sprekende dieren opvoerde.

Henry zag dat er naast de dieren drie vellen papier met tape op de muur waren geplakt. De tekst was voorzien van een kader.

MEDEBURGERS!

Grote aap met stug karakter.

Ogen, stem, staart en gang wijzen

op sluwe aard. Hecht zeer aan het leven.

Kenmerk: asociaal gedrag.

Lelijk.

PAS OP!

Grote aap met grijpstaart en oerlelijke

kaken, die hij vaak probeert te verbergen

achter een baard.

Oogt lui en log.

Boze gelaatsuitdrukking. Onverdraaglijke stem.

Onbetrouwbaar.

ATTENTIE!

Grote aap met donker gezicht en bebaarde kin.

Dik, zwaar lijf.

Lange staart met kale punt.

Bewegingen sloom en bedachtzaam.

Roep krachtig, hard, onduldbaar.

Onverbeterlijk humeurig.

Valse inborst.

'Horen die bij uw stuk?' vroeg Henry.

'Ja. Het zijn affiches. In een bepaalde scène worden ze op de achtergrond geprojecteerd terwijl Beatrice aan het woord is.'

Henry las de tekst op de affiches nogmaals. 'De aap is niet bepaald populair, hè?' merkte hij op.

'Nee, allerminst,' antwoordde de taxidermist. 'Zal ik u de scène laten zien?'

Hij begon in de paperassen op zijn bureau te rommelen, er zonder meer van uitgaand dat Henry ja zou zeggen. Wat Henry niet erg vond. Niet alleen wilde hij de man uit beleefdheid ter wille zijn, maar ook was zijn nieuwsgierigheid gewekt.

'Hier is het.'

Henry strekte zijn hand uit om de pagina's aan te nemen. In plaats van ze hem te geven, liet de taxidermist Henry's hand in de lucht hangen en schraapte hij zijn keel. Henry begreep dat hij van plan was hem de scène voor te lezen. Nadat de taxidermist even naar de tekst had gekeken, begon hij.

VERGILIUS: Zullen we op zoek gaan naar iets eetbaars? Ik heb een banaan gevonden. Misschien vinden we nog wel iets.

BEATRICE: Goed idee.

VERGILIUS: Laten we eens rondkijken. Als jij nou die kant op gaat en ik ga deze kant op, dan treffen we elkaar hier over een paar minuten wel weer.

BEATRICE: (*aarzelend*) Afgesproken.

Alweer eten, dacht Henry. Eerst een peer, nu een banaan. Eten is een obsessie voor die man.

*(Vergilius rent weg naar rechts, Beatrice klost weg naar links.*
*Korte tijd later. Beatrice komt als eerste terug. Ze kijkt zorgelijk. Ze bestudeert de boom, om zich ervan te vergewissen dat het dezelfde is van daarnet en dat ze op de goede plek is.)*

BEATRICE: *(kijkt naar rechts)* Vergilius. VERGIIIIIIILIUS!
*(Geen antwoord.)*

BEATRICE: *(kijkt naar links)* VERGILIUS, WAAR ZIT JE?
*(Geen antwoord. Beatrice kijkt diepongelukkig. Er zit niets anders op dan wachten. Ze maakt zich ongerust.*
*Lange stilte.)*

BEATRICE: *(Naar rechts)* VERGIIIIIIILIUS! *(Naar links)* VERGIIIIIIILIUS!
*(Nog steeds geen antwoord)*

BEATRICE: *(alsof ze iemand aanspreekt)* Pardon, hebt u misschien... Ja, een rode brulaap... Ja, ja, zo een als waar u over gelezen hebt, maar wat op die affiches staat is gelogen... Nee, ik verzeker u, hij is ontzettend lief, reuzeaardig en door en door fatsoenlijk... Dat klopt, een *Alouatta seniculus sara*, als u de taxonomische classificatie wilt aanhouden, maar ik zou wel eens willen weten wie die wetenschap eigenlijk heeft uitgevonden. Wat betekenen die termen? En zijn ze echt belangrijk? Onzin is het, wartaal.

De taxidermist hield op met voorlezen. 'Op dat moment moet de projector worden aangezet en moeten de affiches naast elkaar verschijnen, met grote letters op de achterwand.'

Hij richtte zijn aandacht weer op zijn toneelstuk. Hij las met vaste stem, zonder effectbejag, presenteerde de tekst op een soepele manier. Hij gaf de personages ieder een eigen toon: Beatrice de ezel sprak zacht, terwijl Vergilius de aap zich geanimeerder uitdrukte. Henry luisterde naar de dieren zonder zich ervan bewust te zijn dat hij naar de taxidermist luisterde.

BEATRICE: (*nog steeds tegen een denkbeeldige gesprekspartner*) De gekste dingen heb ik gelezen. Je kunt je er niet voor afsluiten. Posters, krantenartikelen, pamfletten, boeken... Dat vergif dringt door tot in het hart en het hoofd van de mensen, en vervolgens naar hun tong. Maar met de waarheid of de werkelijkheid heeft het allemaal niets te maken. De rode brulaap waar het om gaat... Hij heeft een naam, hoor. Hij heet Vergilius. Vergilius is een prachtig dier. Hij heeft...

Weer zweeg de taxidermist, en hij keek Henry aan. Het was of hij aarzelde. 'En, hoe zou u Vergilius beschrijven? Hoe ziet hij er volgens u uit?' Hij stond abrupt op en liep naar een van de werktafels, om terug te komen met een sterke lamp. 'Hier is licht,' zei hij gedecideerd. Hij zette de lamp op het bureau en richtte de lichtbundel op de aap. Daarna wachtte hij af.

Het duurde even voordat Henry besefte dat de man het meende. De taxidermist wilde echt dat hij de opgezette aap beschreef. Het begon een verbaasde Henry te dagen: *híer heeft hij dus hulp bij nodig.* Het gaat hem niet om een schouderklopje, of een luisterend oor, of connecties. Hij moet geholpen worden met woorden. Als de taxidermist Henry dat verzoek vooraf in zijn brief had gedaan, dan zou hij hebben geweigerd, zoals hij al jaren weigerde om allerlei teksten in opdracht te schrijven. Maar hier, in deze omgeving, vlak bij de personages zelf, in het vuur van het moment, werd er iets in Henry wakker dat de uitdaging graag wilde aangaan.

'Hoe hij er in mijn ogen uitziet?' vroeg Henry. De taxidermist knikte. Henry boog zich dicht naar het dier toe, naar Vergilius, want hij wist nu hoe de aap heette. Hij voelde zich net een dokter die een patiënt gaat onderzoeken. Het viel hem op dat Vergilius niet op de ezel, op Beatrice, stónd zoals de pauw hiernaast, die bij gebrek aan een tafel op het nijlpaard was neergezet. Nee, hij was zo geprepareerd dat hij in een natuurlijke houding op Beatrice zát. Zijn lijf, twee poten en een uitgestrekte arm waren zo geschikt dat ze zich volmaakt voegden naar de vorm van haar rug, en zijn lange krulstaart hing soepel af langs haar flank, als een achteloos uitgeworpen anker voor het geval zij een onverhoedse beweging maakte. Zijn andere arm lag ontspannen op zijn gebogen knie, met de handpalm naar boven. Vergilius had zijn bek open en Beatrice had haar kop iets naar achteren gewend, met een oor naar hem toe gekeerd. Hij was aan het woord en zij luisterde...

Henry dacht even na. Toen stak hij van wal. 'Spontaan, zonder enige voorbereiding of diep nadenken, zou ik zeggen dat Vergilius de handzame afmetingen heeft van een vrij kleine hond, niet te dik maar ook niet te schriel. Ik zou zeggen dat hij een mooie kop heeft, met een korte snuit, stralende roodbruine ogen, kleine zwarte oren en een helder zwart gezicht – nee, eigenlijk is het niet alleen maar zwart – een helder bláuwzwart gezicht omkranst door een volle, elegante baard.'

'Heel goed,' zei de taxidermist. 'Veel mooier dan wat ik heb. Ga door, alstublieft.' Hij pakte een pen en noteerde wat Henry had gezegd.

'Ik zou zeggen,' zei Henry, 'dat Vergilius een stevig, goedgebouwd lijf heeft, voorzien van lange, fraaie ledematen, soepel en sterk – op het oog lijken ze soepel en sterk – met krachtige handen of grijpvoeten eraan. Zijn smalle handen hebben lange vingers, net als zijn voeten.'

'O ja,' onderbrak de taxidermist hem. 'Vergilius speelt piano.

Heel goed zelfs. Hij kan in zijn eentje een vierhandige versie spelen van een Hongaarse dans van Brahms. Bij wijze van afsluiting krult hij zwierig zijn staart om daar de laatste noot mee aan te slaan, en dan volgt een daverend applaus. En kijk eens naar de tekening op zijn handen en voeten.'

Henry keek. Hij ging verder. 'Ik zou zeggen dat zijn hand- en voetpalmen zwart zijn en overdekt met' – hij zweeg even om ze vanuit verschillende hoeken te bestuderen, zodat het licht er telkens anders op viel – 'filigraan van zwarte, ragfijne krullen en arabesken die doen denken aan verfijnd zilverwerk.'

'Dat klopt helemaal,' zei de taxidermist.

'Ik zou zeggen dat zijn lange staart – langer dan hijzelf, zijn trots en glorie – even behendig is als een hand en even krachtig als de wurggreep van een boa constrictor.'

'Maar de fijne motoriek ervan is ook uitstekend. Hij kan ermee schaken. Vergilius...'

Henry hief zijn hand om de taxidermist het zwijgen op te leggen. 'Een staart even krachtig als de wurggreep van een boa, maar met een tastzin verfijnd genoeg om een pion op een schaakbord te kunnen verzetten.'

Op welke details zou Beatrice nog meer letten, vroeg Henry zich af. Hij tuurde in Vergilius' bek.

'En hij heeft een goed gebit. Waarom zegt niemand daar ooit iets over? Of het detail dat me elke dag weer opvalt: zijn prachtige donkere nagels, glanzend en een tikje bol, zodat de toppen van al zijn vingers en tenen glinsteren als grote dauwdruppels.' Het beviel Henry goed om met de stem van Beatrice te spreken.

'Uitstekend, uitstekend,' mompelde de taxidermist. Hij schreef zo snel hij kon.

'En dan moet ik zijn opvallendste pluspunt nog beschrijven, dat hem de helft van zijn soortnaam bezorgt: zijn vacht.' Henry streek zachtjes over Vergilius' rug. 'Zacht, dik en weelderig, de rug baksteenrood, maar de kop en de ledematen eerder kastanjebruin van tint. In de zon, als Vergilius in actie is, als hij in bomen klimt en van de ene tak naar de andere springt terwijl ik met mijn vier poten stevig op de grond sta, dan doen zijn bewegingen denken aan vloeibaar koper, zelfs het eenvoudigste gebaar bezit een onversneden, onbedorven gemak – duizelingwekkend.'

'Dat is Vergilius, van a tot z!' riep de taxidermist.

'Mooi zo.' Een standaardklusje, deze beschrijving: hij had de voor de hand liggende verbale tegenhangers gezocht bij een concrete realiteit, maar toch was ook Henry tevreden. Het was heel lang geleden dat hij zoiets had geprobeerd.

'En zijn brul?'

De taxidermist draaide zich om naar de cassettespeler, spoelde het bandje terug en speelde het nog eens af. Prompt sloeg Erasmus in het vertrek ernaast aan. Henry en de taxidermist sloegen er geen acht op.

'De geluidskwaliteit is niet geweldig,' zei Henry.

'Dat klopt. Het gebrul is ruim veertig jaar geleden opgenomen in het oerwoud van de bovenloop van de Amazone.'

Zo klonk het gebrul dan ook, als iets van heel lang geleden en van heel ver weg. Het geluid had het wel overleefd – het was hoorbaar, door al het gekraak heen – maar Henry was zich evenzeer bewust van de enorme kloof in tijd en afstand die het onwaarschijnlijk genoeg had moeten overbruggen als van het gebrul zelf.

'Ik weet het niet. Het is moeilijk onder woorden te brengen,' zei hij.

De taxidermist speelde het gebrul voor de derde keer af. In de ruimte ernaast deed Erasmus inmiddels even hard mee.

Henry schudde zijn hoofd. 'Er komt niet meteen iets bij me op,' zei hij. 'Geluiden zijn moeilijk te beschrijven. En ik word afgeleid door mijn hond.'

De taxidermist keek hem uitdrukkingsloos aan. Was hij teleurgesteld? Gepikeerd?

'Ik zal moeten wachten tot de muze me iets influistert,' zei Henry. Er drukte opeens een zware vermoeidheid op hem. 'Ik weet wat. Ik zal nadenken over het gebrul. Intussen schrijft u als tegenprestatie voor mij iets op over taxidermie. Maak het niet te ingewikkeld. Zet maar wat losse gedachten op papier. Dat is altijd een goede schrijfoefening.'

De taxidermist knikte, maar Henry wist niet zeker of het een teken van instemming was.

'En als u mij uw toneelstuk nu eens meegeeft? Dan zal ik het lezen en u zeggen wat ik ervan vind.'

Het antwoord van de taxidermist was kort. 'Geen sprake van.' Henry hoorde de gedecideerde toon. De punt achter zijn weigering had de nagalm van een klap met een rechtershamer. Beroepsmogelijkheid was er niet, noch volgde tekst en uitleg over waarom hij niet wilde dat Henry zijn toneelstuk las.

'Maar neem de cassettespeler gerust mee. Dan kunt u nog eens naar het gebrul luisteren terwijl u daarmee bezig bent.'

Daar had Henry niet op gerekend.

'Ik zag dat u naar de apenschedel op de gouden staaf keek,' vervolgde de taxidermist.

'Ja. Het is een bijzonder ding.'

'Het is de schedel van een brulaap.'

'O ja?' Henry huiverde van afgrijzen.

'Ja.'

'Maar niet die van Vergilius?'

'Nee. De schedel van Vergilius zit in Vergilius zijn kop.'

Een halfuur later liep Henry de winkel uit, met een Erasmus die ongeduldig aan zijn riem trok. Het was heerlijk om weer in de frisse lucht te zijn. Henry was aan de late kant voor de repetitie, maar toch ging hij nog even bij de kruidenier langs. Hij vroeg of hij een bakje water voor Erasmus kon krijgen. Dat was voor de man achter de toonbank geen probleem.

'Een bijzondere winkel, hier vlak om de hoek,' zei Henry tegen hem.

'Zeker. Die zit er al sinds de oertijd.'

'Wat is het voor iemand, de man die de zaak runt?'

'Een ouwe gek. Maakt ruzie met de hele buurt. Hij komt hier maar voor twee dingen, nooit voor iets anders: om peren en bananen te kopen en om fotokopieën te maken.'

'Waarschijnlijk vindt hij peren en bananen lekker en heeft hij geen kopieerapparaat.'

'Dat zal wel. Het verbaast me dat de zaak nog bestaat. Is er echt een markt voor opgezette aardvarkens?'

Henry begon maar niet over de dure apenschedel in de tas die hij behoedzaam op de grond had gezet. Schedel en stolp waren zo verpakt dat ze ongeschonden hun bestemming zouden bereiken. Henry had ook belangstelling gehad voor de wolf, de roerloze, niet de springende, maar hij had die impuls weten te bedwingen.

De man keek naar het apparaat dat Henry op de toonbank had gezet.

'Kijk, dat is een oud beestje. Zo'n cassettespeler heb ik sinds mijn jeugd niet meer gezien,' zei hij.

'Oud en betrouwbaar,' antwoordde Henry, waarna hij zijn kostbare last oppakte en naar de deur liep. 'Bedankt voor het water.'

In de taxi op weg naar huis liet Erasmus zich op de vloer ploffen en hij viel meteen in slaap. Henry dacht aan de taxidermist. De man was niet wat je noemt aantrekkelijk en zat aan de onknappe kant van het alledaagse, met een gesloten gezicht waarop niet te lezen was wat hij dacht of voelde. Maar toch, die donkere starende ogen! Hij had iets beklemmends, maar straalde tegelijkertijd een zekere aantrekkingskracht uit. Of berustte die fascinatie op al die dieren om hem heen, met hun glazen ogen? Vreemd dat iemand die zich zo intens met dieren bezighield amper reageerde – helemaal niet eigenlijk – op een levend exemplaar voor zijn neus. De taxidermist had Erasmus geen blik waardig gekeurd.

Henry beschouwde hem als een man met een masker. Maar hij had de taxidermist opdracht gegeven om iets over zijn vak te schrijven. Misschien zou hij daardoor iets minder raadselachtig worden. Henry keek terug op deze dag. Hij was eraan begonnen met het plan om alleen een kaart in de bus te doen, en nu was hij overladen met spullen uit Okapi Taxidermie en had hij toegezegd nog eens terug te komen.

Zodra hij thuis was deed hij Sarah zijn verhaal.

'Ik heb toch zo'n bijzondere man ontmoet,' vertelde hij. 'Een oude taxidermist. Een winkel – niet te geloven. De hele schepping opgepropt in een grote ruimte. Hij heet toevallig ook Henry. Een vreemde vogel. Ik kon hem helemaal niet plaatsen. Hij is een toneelstuk aan het schrijven en hij heeft mijn hulp nodig.'

'Hulp? Waarmee?' wilde ze weten.

'Met het schrijven van dat stuk, denk ik.'

'Waar gaat het over?'

'Dat weet ik niet precies. Er zijn twee personages, een aap en een ezel. Ze zijn heel erg gericht op eten.'

'Is het een stuk voor kinderen?'

'Dat geloof ik niet. Eerlijk gezegd deed het me denken aan...' maar Henry maakte zijn zin niet af. Hij wilde niet uitspreken waar het stuk hem aan deed denken. 'Die aap is niet populair,' zei hij dus maar.

Sarah knikte. 'Je hebt je dus laten strikken om mee te werken terwijl je nog niet eens weet waar het verhaal over gaat?'

'Ik geloof het wel.'

'Hmm, je klinkt enthousiast. Dat doet me plezier,' zei Sarah.

Ze had gelijk. Henry's brein werkte op volle toeren.

De volgende dag ging Henry naar de openbare bibliotheek om zich te verdiepen in brulapen. Hij ontdekte van alles en nog wat over de soort, bijvoorbeeld dat ze in matrilineaire groepen leven, en dat ze geen vast territorium hebben maar door de bossen zwerven om voedsel te zoeken en bedreigingen uit de weg te gaan. Nadat hij Erasmus die avond zo ver mogelijk in huis had opgeborgen zette hij de cassettespeler naast de computer om het gebrul nog eens af te luisteren. Hij probeerde het te beschrijven vanuit het standpunt van Beatrice. Als hij het zich goed herinnerde praatte ze tegen een denkbeeldig personage terwijl ze wachtte tot Vergilius terugkwam van foerageren.

BEATRICE: Wat betreft het andere kenmerk waar Vergilius zijn naam aan te danken heeft, hoe kun je iets onder woorden brengen dat zo verbazingwekkend klinkt? Woorden zijn kille, modderige padden die proberen iets te begrijpen van in de wei dartelende geesten – maar iets anders hebben we niet. Ik zal een poging doen.

Gebrul, geschreeuw, brullend geschreeuw, oorverdovend geschreeuw – daarmee wordt de werkelijkheid nauwelijks recht gedaan. Een vergelijking met andere dierengeluiden ontaardt in een soort zoölogisch wedstrijdje, waarbij het alleen om volume gaat. De schreeuw van een brulaap is luider dan de roep van een pauw, van een jaguar, van een leeuw, van een gorilla, van een olifant – en dan is het wel uit met groot, groter, grootst, tenminste op het land. In de zee kan de blauwe vinvis – die ruim honderdvijftig ton kan wegen, het grootste dier dat deze planeet ooit met zijn aanwezigheid heeft vereerd – een schreeuw van honderdtachtig decibel uitstoten, dat is harder dan een straalmotor maar door de lage frequentie voor een ezel amper hoorbaar, en waarschijnlijk noemen we de schreeuw van een walvis daarom wel gezang. Maar eerlijk is eerlijk, de eerste plaats komt de blauwe vinvis toe. Dus als we ze naast elkaar opstellen, dan staan daar tussen de logge mannetjesolifant en de kolossale blauwe vinvis – de blik zou wel behoorlijk moeten zakken – Vergilius en zijn soortgenoten, die van alle levensvormen op aarde ongetwijfeld het meeste lawaai per kilo voortbrengen.

Over de draagwijdte van de brul van een brulaap kan eindeloos worden gesteggeld. Drie kilometer, vijf kilometer, over heuvels, met tegenwind – diverse waarnemers hebben een schatting gedaan. Maar de aard van Vergilius' brul, de auditieve hoedanigheid, gaat in alle metingen verloren. Ik heb wel eens geluiden gehoord die me eraan deden denken. Op een keer liepen Vergilius en ik langs een varkensfokkerij toen er net een kudde hardhandig uit een omheind veld werd gedreven. De dieren raakten in paniek en sloegen aan, en dat geluid, een hele kudde varkens die allemaal bulken en janken van angst, deed me enigszins denken aan het gebrul van Vergilius.

Een andere keer kwam er een zwaarbeladen kar langs waarvan de assen al heel lang niet waren gesmeerd. Telkens kwam er uit het onderstel een onderdrukt geknerp dat door merg en been ging, droog en daverend, en als het honderdvoudig was versterkt zou ook dat geluid iets hebben weergegeven van het leven en de kracht in de roep van Vergilius.

En ik heb eens een beschrijving gelezen bij Apu-

> leius, mijn favoriete klassieke schrijver, van een aardbeving die 'een hol, bulderend geluid' maakte, en ook dat beeld, van de worstelende aarde, kreunend en steunend, omkleedt de schreeuw van Vergilius redelijk met woorden.
> Maar uiteindelijk is er alleen de brul zelf, in zijn rauwe zuiverheid. Horen is geloven.

Een paar dagen later ging Henry weer bij de taxidermist langs. Hij was gespannen omdat hij de stokoude cassettespeler en het kostbare bandje onder zijn hoede had, maar hij popelde ook om hem deelgenoot te maken van wat hij had geschreven.

Henry had Erasmus weer meegenomen, maar ditmaal bond hij hem buiten vast. Zijn komst wekte bij de taxidermist geen genoegen maar ook geen misnoegen. Henry werd daar onzeker van. Hij had de taxidermist opgebeld om te zeggen dat hij zou komen. Ze hadden een tijd afgesproken. Henry vroeg zich af of hij zich had vergist en of hij soms te laat of te vroeg was. Maar het bleek gewoon de manier van doen van de man, zo was hij nu eenmaal. Toen Henry de zaak binnen kwam, droeg de taxidermist een voorschoot en bracht hij net een wild zwijn naar de werkplaats.

'Zal ik even helpen?' vroeg Henry.

De taxidermist schudde zijn hoofd maar zei niets. Henry bleef staan wachten en vergaapte zich intussen aan de dieren. Hij vond het prettig om hier weer te zijn. Net als in een victoriaanse roman wemelde het hier van de bijvoeglijke naamwoorden.

'Kom maar hierheen,' zei de taxidermist vanuit de achterkamer. Henry ging naar binnen. De taxidermist zat al aan zijn bureau. Als een gehoorzame kantoorbediende ging Henry weer op de kruk zitten. Hij gaf de taxidermist de tekst die hij voor Beatrice had geschreven. Terwijl de man zat te lezen, en dat deed hij langzaam, keek Henry om zich heen. De taxidermist was klaar met het hert dat hij tijdens Henry's eerste bezoek onder handen had gehad. Maar het andere model, dat ronde, was niet opgeschoten. En Vergilius en Beatrice? Die waren nog steeds in gesprek.

'Ik ben niet gelukkig met die straalmotor,' begon de taxidermist zonder inleiding. 'En die varkensfokkerij, daar heb ik mijn twijfels bij. Maar het idee van een hele kudde dieren spreekt me wel aan. En die droge as – heel goed. Daar kan ik me iets bij voorstellen. Wie is Apuleius? Ik heb nog nooit van hem gehoord.'

De man kon wel om iets vragen, maar een bedankje kon er niet af. Lag dat aan de vergeetachtigheid van de ouderdom of aan een soort onvermogen?

'Zoals ik in de tekst al zeg: het is een schrijver,' antwoordde Henry. 'Zijn beroemdste boek is *De gouden ezel*, en zo kwam ik op het idee om hem de favoriete klassieke schrijver van Beatrice te maken.'

De man knikte. Henry wist niet goed of hij het eens was met wat hij, Henry, net had gezegd, of dat hij instemde met zijn eigen onuitgesproken gedachten.

'En u, wat hebt u? Is het u gelukt om iets over de taxidermie te schrijven?'

De taxidermist knikte en pakte een paar vellen papier van zijn bureau. Hij keek er enkele seconden naar. Toen begon hij Henry voor te lezen.

> Het dier is voor ons verloren gegaan, is uit ons weggenomen. Ik bedoel niet alleen in het stadsleven. Ik bedoel ook daarbuiten. Als je de natuur in gaat, zijn ze er niet meer, de gewone en de ongewone dieren, tweederde is verdwenen. Inderdaad, hier en daar zijn ze nog in groten getale te zien, maar dan gaat het om beschermde gebieden en reservaten, parken en dierentuinen, bijzondere plekken. De normale omgang met dieren behoort tot het verleden.
>
> Men maakt bezwaar tegen de jacht. Dat is niet mijn probleem. De taxidermie schept geen vraag, de taxidermie

conserveert een resultaat. Als wij dit werk niet deden zouden dieren die uit hun weidse habitat zijn verdwenen, ook verdwijnen uit onze weidse verbeelding. Neem de quagga, een inmiddels uitgestorven ondersoort van de zebra. Zonder de geprepareerde exemplaren die hier en daar tentoongesteld worden, zou dat alleen nog maar een woord zijn.

Het opzetten van een dier kent vijf stappen: het villen, het prepareren van de huid, het vervaardigen van het kunstlichaam, het passen en afwerken van de huid op het kunstlichaam. Elke stap, als hij goed wordt uitgevoerd, is tijdrovend. Wat de amateur onderscheidt van de beroepstaxidermist is het besef dat geduld loont. Bij een zoogdier gaat veel tijd zitten in oren, ogen en neus om een goed evenwicht te bereiken: de ogen niet scheel, de neus niet krom, de oren niet in een onnatuurlijke stand, want het geheel geeft het dier een samenhangende expressie. Vervolgens krijgt het lijf van het dier een bijpassende houding.

Het woord 'opstoppen' gebruiken we niet meer, gewoon omdat het niet meer klopt. Het dier dat bij een taxidermist belandt wordt tegenwoordig niet langer als een zak volgestopt met mos, kruiden, tabak en dergelijke. De wetenschap heeft ons vak in een praktisch licht gesteld, net als alle disciplines. Het dier wordt, beter gezegd, 'opgezet' of 'geprepareerd', en dat is een wetenschappelijk proces.

Vissen worden tegenwoordig nauwelijks nog gedaan. Dat onderdeel van het vak is sneller ten onder gegaan dan de rest. Een camera kan de prachtvangst sneller en goedkoper vereeuwigen dan een taxidermist, en met de eigenaar er pal naast als bewijs. De camera heeft de taxidermie veel economische schade berokkend. Alsof de vergeten pagina's in een fotoalbum beter zijn dan de werkelijkheid aan de muur.

Wij krijgen de dieren vanwege het natuurlijke verloop in dierentuinen. Jagers en stropers brengen uiteraard ook dieren in: de leverancier is dan meteen de klant. Sommige dieren worden dood gevonden, slachtoffers van een ziekte of van een roofdier. Andere vinden de dood op de weg. De bijproducten van de voedselindustrie voorzien ons van de huiden en skeletten van varkens, koeien, struisvogels en dergelijke, of van vreemdere exemplaren uit exotischer oorden, zoals mijn okapi.

De taxidermist moet het villen tot in de perfectie beheersen. Als dat niet goed gebeurt, heeft het zijn prijs. Vergelijk het maar met een wetenschapper die gegevens verzamelt. Foutjes in dit stadium zijn later soms niet meer recht te zetten. Als je bijvoorbeeld de onderhuidse uiteinden van de staartveren van een vogel afknipt, wordt het veel moeilijker om ze nog op een natuurlijk ogende manier terug te plaatsen. Maar het kan natuurlijk ook zijn dat de taxidermist het dier al beschadigd aangeleverd krijgt, wanneer het is gedood door een jager of door een ander dier in een dierentuin, of door een aanrijding. Bloed, zand en andere ongerechtigheden kunnen worden verwijderd, en beschadigde huid of veren kunnen binnen redelijke grenzen worden gerepareerd, maar we kunnen niet alles. In de woorden van de historicus: het bewijsmateriaal is soms zo beschadigd dat een juiste interpretatie van de gebeurtenis onmogelijk is.

Het kunstlichaam waarop de huid wordt aangebracht, moet worden opgebouwd. Daarvoor kunnen allerlei vormen en vullingen worden gebruikt, en dat gebeurt dan ook, maar nog beter is het om een kunstlichaam van balsa te maken. Voor ingewikkelde projecten wordt er klei op een ijzerdraadconstructie aangebracht, daar wordt dan een mal omheen opgebouwd, soms in aparte delen, waarna er een afgietsel van fiberglas of purschuim wordt gemaakt, wat een licht, sterk kunstlichaam oplevert.

Het naaigaren moet dezelfde kleur hebben als de vacht.

Het stiksel bestaat uit kleine steekjes, die zo zorgvuldig worden gemaakt dat de hoeveelheid huid aan weerszijden van de naad hetzelfde is en de huid dus niet scheeftrekt. Een onderhandse steek is het beste, want daarmee worden de randen naar elkaar toe gebracht zonder dat er een richeltje ontstaat. Linnen heeft de voorkeur, want dat is sterk en vergaat niet.

Het is raadzaam om de schedel in de opgezette versie te behouden, want dan kan het dier met open bek worden getoond, met zijn echte gebit in het zicht. Anders moet op een nagemaakte kop de bek worden dichtgenaaid of een ingewikkelde bek worden geconstrueerd met nagemaakt tandvlees, gebit en tong. Van alle lichaamsdelen is de tong het moeilijkst te conserveren. Hoe we ook ons best doen, hij glanst nooit genoeg of glimt juist te veel. In het algemeen is het geen probleem om de bek dicht te laten, maar wat blijft er dan over van de expressieve muil van een grauwende tijger of een happende krokodil?

Alles draait om de houding die het dier krijgt, althans bij het zoogdier of de vogel. Rechtop, sluipend, springend, gespannen, ontspannen, liggend op zijn zij, vleugels uitgeslagen, vleugels ingevouwen, enzovoort – die beslissing moet al in een vroeg stadium worden genomen, aangezien de houding de vorm beïnvloedt en een doorslaggevende rol speelt in de expressiviteit van het dier. Men heeft meestal de keuze tussen theatraal of neutraal, tussen het dier in actie of het dier in rust. Elke keuze brengt een andere sfeer over, de eerste is een momentopname van levendigheid, de tweede van afwachting. Daaruit kunnen we twee taxidermische opvattingen afleiden. Volgens de eerste is de levendigheid van het dier een ontkenning van de dood, alsof de tijd is stilgezet. Volgens de tweede is de dood als feit geaccepteerd en wacht het dier eenvoudigweg tot de tijd ten einde komt.

Er is een frappant verschil tussen een stijf, glazig kijkend dier in een onnatuurlijke houding en een dier dat blakend van leven klaar lijkt te staan voor de sprong. Niettemin berust dat contrast op minieme specifieke details. Het geheim van taxidermisch succes is subtiel, het resultaat zonneklaar.

De rangschikking van dieren in hun natuurlijke habitat of een diorama wordt even zorgvuldig overdacht als de opstelling van acteurs op een toneel. Wanneer dat goed wordt gedaan, wanneer er vakmensen aan het werk zijn, is het effect indrukwekkend: met recht een blik op de natuur zoals ze was. Kijk hoe het dier aan de rivieroever hurkt, kijk hoe speels de welpen in het gras zijn, kijk hoe die gibbon ondersteboven hangt – het is alsof ze opnieuw leven en er niets is gebeurd.

Broddelwerk is niet goed te praten. Als een dier in taxidermisch opzicht wordt verknoeid, verspelen we het enige ware doek waarop het kan worden afgebeeld, en dat veroordeelt ons tot geheugenschade, onwetendheid en onbegrip.

Er is een tijd geweest dat elke zichzelf respecterende familie de huiskamer opsierde met een opgezet dier of vogels in een vitrine, een oerwoudbewoner die in het huis bleef terwijl het bos zelf zich terugtrok. Die branche is helemaal verloren gegaan, niet alleen het verzamelen maar ook het conserveren. Nu is het in de woonkamer waarschijnlijk saai en in het woud stil.

Schuilt er in de taxidermie een zekere barbaarsheid? Ik zie dat niet. Misschien alleen als men een volkomen voor de dood afgeschermd leven leidt, waarin men nooit achter de schermen kijkt bij een slager, of in de operatiekamer van een ziekenhuis, of in het werkgedeelte van een uitvaartcentrum. Leven en dood beginnen en eindigen op precies dezelfde plek, namelijk in het lichaam. Daaruit worden zowel baby's als kankergezwellen geboren. Als men de dood ontkent, ontkent men dus het leven. Ik vind een karkas niet erger stinken dan een akker, want beide ruiken natuurlijk en hebben hun eigen specifieke eigenschappen.

En ik herhaal: taxidermisten creëren de vraag niet. Wij conserveren alleen een resultaat. Ik ben nog nooit van mijn leven op jacht geweest en de achtervolging interesseert me evenmin. Het komt niet in me op om een dier kwaad te doen. Dieren zijn mijn vrienden. Als ik met een dier bezig ben, doe ik mijn werk in de wetenschap dat ik op geen enkele manier iets kan veranderen aan zijn leven, dat is verleden tijd. Wel peur ik herinneringen uit de dood om ze te verfijnen. Ik ben niet anders dan een historicus: hij ontleedt het bewijsmateriaal uit het verleden om het te reconstrueren en vervolgens te doorgronden. Elk dier dat ik heb opgezet was een interpretatie van het verleden. Ik ben historicus, ik houd me bezig met het verleden van een dier; de dierentuinbeheerder is politicus, hij houdt zich bezig met het heden van een dier, en alle anderen zijn burgers die moeten beslissen over de toekomst van dat dier. U ziet dus dat we te maken hebben met zaken die veel en veel gewichtiger zijn dan de vraag wat te doen met een stoffige opgezette eend die van een oom is geërfd.

Ik moet het nog hebben over een ontwikkeling van de afgelopen jaren, over wat men wel 'artistieke taxidermie' noemt. Zulke taxidermisten zijn er niet op uit om de natuur te imiteren, maar om nieuwe, onbestaanbare soorten te creëren. Zij – dat wil zeggen de kunstenaars die de taxidermist aanwijzingen geven – zetten het ene deel van een dier aan een deel van een ander dier, dus de kop van een schaap aan de romp van een hond, of de kop van een konijn aan het lijf van een kip, of de kop van een stier aan het lijf van een struisvogel, enzovoort. De combinaties zijn legio, vaak griezelig, soms verontrustend. Ik begrijp niet wat ze ermee denken te bereiken. Ze houden zich niet meer bezig met het verkennen van de aard van het dier, dat is duidelijk. Ik geloof dat ze eerder de aard van de mens aan het verkennen zijn, en dan vaak de meest verwrongen kanten daarvan. Het is niet mijn smaak, moet ik zeggen, en het druist zeker in tegen mijn opleiding, maar wat doet dat ertoe? De dialoog met de dieren wordt voortgezet, al is het op een vreemde manier, en voor sommige mensen dient dat waarschijnlijk een bepaald doel.

Insecten zijn de eeuwige vijanden van de taxidermie en moeten in alle stadia worden verdelgd. Onze andere vijanden zijn stof en te veel zonlicht. Maar de grootste vijand van de taxidermie, en ook van dieren, is onverschilligheid. Het lot van de dieren is bezegeld door de onverschilligheid van velen, in combinatie met de daadwerkelijke haat van weinigen.

Door de schrijver Gustave Flaubert ben ik taxidermist geworden. Ik heb me laten inspireren door zijn verhaal 'De legende van de heilige Julianus de Gastvrije'. Mijn eerste dieren waren een muis en daarna een duif, dezelfde dieren die Julianus als eerste doodt. Ik wilde zien of er iets gered kon worden nadat het onherstelbare was aangericht. Daarom ben ik taxidermist geworden: om getuigenis af te leggen.

De taxidermist keek op. Hij zei: 'Dan heb ik nog een lijst met korte beschrijvingen van beroemde tentoongestelde objecten in diverse musea, van enkele dieren tot complete diorama's.'

'Laten we die maar voor later bewaren,' zei Henry. 'Ik heb dorst. Hebt u een glaasje water voor me?'

'Naast de gootsteen staan glazen.'

Henry liep erheen. Hij spoelde een glas om, liet het vollopen en dronk het leeg. In de gootsteen stond een plastic bak met een chemische oplossing waar een konijnenskelet in lag te weken. Hij dronk nog een paar glazen water. Het was heel droog in de werkplaats en zijn keel was als schuurpapier. Hij had trouwens ook trek.

Henry dacht na over wat de taxidermist hem had voorgelezen. Zelf iets lezen of je iets laten voorlezen zijn twee heel verschillende ervaringen. Omdat hij geen zeggenschap had gehad over de woorden die tot hem kwamen en zijn eigen tempo niet had kunnen kiezen maar als een gevangene in een ploeg kettinggangers was meegesjokt, hadden zijn aandachtsboog en zijn opnamevermogen nogal gewisseld. Het was best interessant geweest, die verhandeling over taxidermie, maar niet erg persoonlijk. Nog steeds was hij niet veel wijzer over de taxidermist zelf.

Hij herinnerde zich de goede raad van een vriendin, een docente *creative writing*. 'Een verhaal begint met drie goede woorden,' had ze gezegd. 'Als je leest wat een student heeft ingeleverd moet je beginnen met drie goede woorden te zoeken.' Dat was in dit geval geen moeilijke opgave. Lang geleden had de taxidermist kennelijk goed les gehad en zich de beginselen van proza eigen gemaakt. En wat de aandacht van de toehoorder ook vasthield, althans de zijne, dacht Henry, was dat het onderwerp niet alledaags maar buitenissig was, geen fiscale planning maar taxidermie.

Het glas glipte Henry uit de vingers. Het viel in scherven. 'Neem me niet kwalijk. Het ontglipte me.'

'Niets aan de hand,' reageerde de taxidermist onverschillig.

Henry keek rond of hij een stoffer en blik zag.

'Laat maar, laat maar.'

Henry ging ervan uit dat de taxidermist, als ambachtsman, praktisch was ingesteld en dat ongelukjes en het bijbehorende opruimwerk hem niet deerden. Toen Henry terugliep naar het bureau knerpten er glasscherven onder zijn schoenen. Hij ging weer op de kruk zitten.

'Dat hebt u mooi opgeschreven,' zei hij tegen de taxidermist.

Maar wat nu, bepeinsde Henry. Was de man alleen uit op bevestigende, lovende woorden, of had hij behoefte aan gefundeerde kritiek? 'Misschien hier en daar wat onsamenhangend en wat veel herhalingen, maar helder en informatief.'

De taxidermist zei niets en keek Henry uitdrukkingsloos aan.

'Het viel me op dat u gaandeweg het persoonlijk voornaamwoord "ik" vaker gebruikte. Dat past goed in een persoonlijk relaas. Dan is het zaak om vast te houden aan de ervaring van de ik-figuur zonder in algemeenheden te vervallen.'

Nog steeds geen reactie.

'U hebt een heel soepele pen, dus uw toneelstuk vlot zeker ook wel goed.'

'Nee.'

'Hoe komt dat?'

'Ik zit vast. Het werkt niet.'

De taxidermist gaf zijn creatieve onvermogen toe zonder enig vertoon van frustratie.

'Hebt u al een kladversie af?'

'Een heleboel kladversies.'

'Hoe lang bent u eraan bezig?'

'Mijn hele leven al.'

De man stond op en liep van zijn bureau naar de gootsteen. *Krak, krak* deed het glas onder zijn voeten. Van een plank onder een van de werktafels haalde hij een stoffer en blik tevoorschijn. Hij veegde de vloer. Daarna pakte hij een paar rubberhandschoenen en trok ze aan. Hij boog zich over de gootsteen. De stilte deerde hem niet. Nadat Henry hem een tijdje had gadegeslagen zag hij hem in een ander licht. Het was een oude man. Een oude man die over een gootsteen gebogen aan het werk was. Had hij een vrouw, kinderen? Hij droeg geen ring, maar dat had misschien met zijn werk te maken. Weduwnaar? Henry bekeek het profiel van de man. Wat lag er achter die uitdrukkingsloosheid? Eenzaamheid? Zorgen? Gefnuikte ambitie?

De taxidermist richtte zich op. Hij hield het konijnenskelet in zijn reusachtige handen. Het was een geheel, alle botten waren nog met elkaar verbonden. Het was spierwit en oogde klein en breekbaar. Hij draaide het om en inspecteerde het aandachtig. Hij behandelde het als een pasgeboren baby.

Een man met maar één verhaal, een Lampedusa die met zijn *Tijgerkat* worstelde, dacht Henry. Over een creatieve blokkade maak je geen grapjes, dat doen alleen botteriken die nooit een poging hebben gedaan zich te onderscheiden. Er blokkeert niet alleen een bepaalde onderneming, een taak, maar je hele wezen. Vanbinnen sterft er een kleine god, een deel waaraan je een zekere onsterfelijkheid had toegeschreven. Als je creatief vastzit, blijf je achter met – Henry keek de werkplaats rond – blijf je achter met dode huiden.

De taxidermist zette de kraan open en spoelde het skelet af onder zacht stromend water. Hij schudde het konijn nogmaals uit en legde het op het aanrecht naast de gootsteen.

'Waarom een aap en een ezel? U hebt me verteld hoe u aan dit tweetal hier bent gekomen.' Henry raakte de ezel even aan. Het verbaasde hem hoe veerkrachtig en wollig de vacht was. 'Maar waarom juist deze dieren voor uw verhaal?'

'Omdat apen worden beschouwd als slim en behendig, en ezels als koppig en ijverig. Die eigenschappen hebben dieren nodig om te overleven. Daar worden ze flexibel en vindingrijk van, zodat ze zich kunnen aanpassen als de omstandigheden veranderen.'

'Ik begrijp het. Nog even over uw toneelstuk. Wat gebeurt er na de scène met de peer?'

'Ik zal het u voorlezen.'

De man trok zijn handschoenen uit, veegde zijn handen af aan het schort om zijn middel en liep weer naar zijn bureau. Hij rommelde in de paperassen.

'Hier is het,' zei hij. De taxidermist begon weer voor te lezen, met toneelaanwijzingen en al.

BEATRICE: (*treurig*) Ik wou dat je een peer had.
VERGILIUS: En als ik er een had, zou ik hem aan jou geven.
(*Stilte.*)

'Dat is het slot van de openingsscène,' zei hij. 'Beatrice heeft nog nooit in haar leven een peer gegeten, er zelfs nog nooit een gezien, en Vergilius probeert haar een beschrijving te geven.'

'Ja, dat weet ik nog.'

De man vervolgde:

BEATRICE: Mooi weer vandaag.
VERGILIUS: Lekker warm.
BEATRICE: En zonnig.
(*Korte stilte.*)
BEATRICE: Wat moeten we doen?
VERGILIUS: Kúnnen we iets doen?
BEATRICE: (*kijkt de weg af*) We zouden een stukje kunnen doorlopen.
VERGILIUS: Dat hebben we al eens gedaan, en dat leidde nergens toe.
BEATRICE: Deze keer misschien wel.
VERGILIUS: Misschien.
(*Ze blijven staan waar ze staan.*)
VERGILIUS: We kunnen gewoon wat praten.
BEATRICE: Praten biedt ons geen redding.
VERGILIUS: Maar het is beter dan zwijgen.
(*Ze zwijgen.*)
BEATRICE: Dat is zo.
VERGILIUS: Ik heb eens nagedacht over geloven.
BEATRICE: O ja?
VERGILIUS: Naar mijn mening is geloven te vergelijken met in de zon staan. Als je in de zon staat, kun je dan voorkomen dat je een schaduw werpt? Kun je

hem afschudden, die donkere vlek die aan je vastzit, altijd dezelfde vorm heeft als jij, alsof hij je voortdurend aan jezelf herinnert? Die kun je niet afschudden. Die schaduw is de twijfel. En zolang je in de zon bent volgt hij je, waar je ook heen gaat. En wie wil er nu niet graag in de zon zijn?

BEATRICE: Maar de zon is weg, Vergilius, weg! (*Ze barst in tranen uit en begint luid te snikken.*)

VERGILIUS: (*strijkt troostend over haar schouder*) Beatrice, Beatrice. (*Maar ook Vergilius is uit zijn doen en begint onbedaarlijk te huilen. Een paar minuten lang staan de dieren te brullen en te balken.*)

De man zweeg. Zijn typische voorleesstijl, monotoon en uitdrukkingsloos, miste zijn uitwerking niet, vond Henry. Hij hief zijn handen en begon geluidloos te klappen.

'Uitstekend,' zei hij. 'Heel mooi, die vergelijking tussen de zon en het geloof.'

De taxidermist gaf een hoofdknikje.

'En als Vergilius zegt dat praten beter is dan zwijgen, gevolgd door een lang stilzwijgen, dat Beatrice doorbreekt met "dat is zo" – volgens mij werkt dat op het toneel heel goed.'

Opnieuw geen duidelijke reactie. Daar moet ik maar aan wennen, hield Henry zich voor. Het zou wel verlegenheid zijn.

'De duisternis die plotseling invalt, waarop Beatrice in tranen uitbarst, dat vormt qua toon ook een aardig contrast met de vrij luchthartige eerste scène. O ja, waar speelt het stuk zich af? Dat is me niet duidelijk.'

'Dat stond op de eerste pagina.'

'Ja, dat weet ik, ze zijn in een soort park of bos.'

'Nee, daarvoor nog.'

'Daarvoor zat niets.'

'Ik dacht dat ik dat wel had gekopieerd,' zei de taxidermist.

Hij gaf Henry drie A4'tjes. Op het eerste stond de volgende informatie:

Een twintigste-eeuws overhemd

Een spel in twee bedrijven

Op het tweede:

Vergilius, een rode brulaap
Beatrice, een ezel
Een jongen en zijn twee vrienden

En op het derde:

Een landweg. Een boom.
Namiddag.

De provincie Achterpand,
in Overhemd,
een land als alle andere landen,
buurland van, groter dan,
kleiner dan, Hoed, Handschoenen,
Jas, Vest, Broek,
Sokken, Schoenen enzovoort.

'Speelt het stuk zich af op een overhemd?' vroeg Henry verwonderd.

'Ja, op het rugpand.'

'Hmm, of Beatrice en Vergilius zijn kleiner dan broodkruimels, of het is een heel groot overhemd.'

'Het is een heel groot overhemd.'

'En daar lopen twee dieren op rond? En er staat een boom en er is een landweg?'

'En nog veel meer. Het is symbolisch.'

Dat had Henry graag zelf als eerste willen zeggen. 'Ja, het is duidelijk symbolisch. Maar symbolisch waarvóór? De lezer moet herkennen waar het symbool voor staat.'

'De Verenigde Staten van Amerika, de Verenigde Kleren van Europa, de Unie van Afrikaanse Schoenen, de Associatie van Aziatische Hoeden – namen doen er niet toe. We verkavelen de aarde, geven landschappen een naam, tekenen kaarten, en dan doen we of we thuis zijn.'

'Is het een stuk voor kinderen? Heb ik het verkeerd gelezen?'

'Nee, volstrekt niet. Is úw boek een verhaal voor kinderen?'

De taxidermist keek Henry recht aan, maar ja, dat deed hij altijd. Henry kon geen ironie in zijn stem ontdekken.

'Nee, het is niet voor kinderen. Ik heb mijn romans voor volwassenen geschreven,' antwoordde hij.

'Datzelfde geldt voor mijn toneelstuk.'

'Het is voor volwassenen, ondanks de personages en de setting.'

'Het is voor volwassenen, vanwége de personages en de setting.'

'Eén-nul. Maar nogmaals: waarom een overhemd? Wat is de symboliek daarvan?'

'Overhemden zijn in alle landen te vinden, bij alle volkeren.'

'Het gaat dus om de universele weerklank?'

'Ja. We trekken elke dag een overhemd aan.'

'Wilt u daarmee zeggen dat we allemaal op het Overhemd leven?'

'Dat klopt. Jas, Vest, Broek, maar het had ook Duitsland, Polen, Hongarije kunnen zijn.'

'Aha.' Henry dacht even na. 'Waarom nu juist die drie landen?' vroeg hij.

'Hoezo... Jas, Vest, Broek?'

'Nee. Duitsland, Polen, Hongarije.'

'Dat waren de eerste drie landen die me te binnen schoten,' antwoordde de taxidermist.

Henry knikte. 'Overhemd... Dat is dus de naam van het land?'

De taxidermist boog naar voren om de vellen papier terug te pakken. 'Dat staat hier,' zei hij. '"Een land als alle andere landen, buurland van, groter dan, kleiner dan".'

Henry probeerde het met opbouwende kritiek. 'Ik vraag me af of er dan niet iets verloren gaat. Bij het vertellen van een verhaal is het van groot belang dat wat er in je hoofd zit op papier komt. Als je wilt dat je lezer ziet wat jij ziet, dan moet je...'

De taxidermist onderbrak Henry botweg en zei: 'Het is een gestreept overhemd.'

'Gestreept?'

'Ja. Verticale strepen. De zon gaat onder.' Hij zocht tussen zijn papieren. 'Ze hebben het gehad over God en het geloof van Vergilius en over de dag van de week. Ze weten niet precies welke dag het is. Ik zal die scène voorlezen. Hier heb ik hem.'

Hij begon weer:

BEATRICE: Goed. Jij je zin met je godloze dagen. Zullen we zeggen maandag, dinsdag en woensdag? Twijfelen op donderdag, en dan vereren op vrijdag, zaterdag en zondag. Lijkt dat wat?

VERGILIUS: Maar het kwaad gebeurt op elke dag van de week.

BEATRICE: Omdat wij er elke dag van de week zijn.

VERGILIUS: Wij hebben niets misdaan! Maar nu we het er toch over hebben, wat is het vandaag?

BEATRICE: Zaterdag.

VERGILIUS: Ik dacht dat het vrijdag was.

BEATRICE: Misschien is het zondag.

VERGILIUS: Volgens mij is het dinsdag.

BEATRICE: Kan het maandag zijn?

VERGILIUS: Wie weet is het woensdag.

BEATRICE: Dan zal het wel donderdag zijn.
VERGILIUS: God sta ons bij.
(*Stilte.*)
VERGILIUS: Ik kan hier niet meer tegen.
BEATRICE: Zet je gedachten dan stil. Of denk met mate, alleen voor zover het nut heeft. Daarna bidden. En na het bidden doe je weer goede werken. Elke dag van de week heeft ook wel iets goeds.
VERGILIUS: Ik kan niet bidden. Het is zeker dinsdag, een van mijn godloze dagen.
BEATRICE: Dan praten we vrijdag weer over God. Tot die tijd moet je maar denken: misschien zwijgt God opdat Hij ons beter kan horen.
(*Stilte.*)
VERGILIUS: (*steekt gedachteloos zijn neus in de lucht*) Hoe komt het dat jij zoveel over bananen weet? Ik hoor hier de bananenkenner te zijn. (*Hij snuffelt nog eens.*)

Hij keek op. 'In de openingsscène, als de peer wordt beschreven, hebben ze het ook over bananen. Beatrice heeft verstand van bananen. Maar waar het hier om gaat is dat snuffelen van Vergilius.'

Henry knikte. De taxidermist vervolgde:

VERGILIUS: …Ik hoor de deskundige op bananengebied te zijn. (*Hij snuffelt opnieuw.*)
BEATRICE: Ik ben ook dol op bananen. Bananen zijn lekker.
VERGILIUS: Net zo lekker als koffie.
BEATRICE: Net zo lekker als taart.

'Ze lijden honger,' legde hij uit.

VERGILIUS: (*snuffelt heftiger, praat daarna fluisterend*) De wind.

BEATRICE: (*knikt instemmend, ademt diep in*) En wat een prachtig uitzicht.

(*Vergilius staat tegen Beatrice geleund, ze houden hun neusgaten opengesperd, hun oren gespitst, hun ogen wijd open.*

*Het daglicht begint aan zijn laatste uur. De aarde en de boomstammen glanzen in de rode gloed van de ondergaande zon. Over het land vlaagt een bries: een uiterst zachtmoedige charge. Een zoete wind, geurend naar aarde en wortels, naar bloemen en hooibergen, naar velden en bossen, naar rook en dieren, maar doordat hij zo'n grote afstand heeft afgelegd brengt hij ook de vochtige, holle lucht van de uitgestrektheid. Het is een heerlijke bries, een opwekkende bries, een gulle bries. Het collectieve nieuws van de hele natuur wordt erop aangevoerd.*

*In een provincie die wordt afgedaan als vlak en saai, tijdens een heldere, wolkeloze zonsondergang, heeft Overhemd de twee dieren door middel van een eenvoudige weg een lage heuvel op gelokt en daar hun blinddoek weggetrokken opdat ze kunnen zien wat er te zien is: een landschap dat zich opent als de portefeuille van een filantroop.*

*Om te beginnen is er een open plek met verwilderd gras, en de twee dieren staan aan de rand daarvan, naast de weg. De struiken en bomen in de nabijheid zijn fraai van vorm: ze hebben volle kruinen met dansende bladeren, en de lange schaduwen worden door de oranje zon op het land getekend. Naast de open plek is een helgroene weide. Daar-*

*achter ligt een bewerkte akker, die door de voren in de diepbruine aarde doet denken aan een lap rib-fluweel. En daarachter zijn nog meer velden, een golvende, deinende weidsheid zover het oog reikt. Op enkele heuvels ontspruiten toefjes bos, sommige velden liggen er groen bij voor schapen en vee, andere liggen braak, maar de meeste zijn bewerkt zodat de aarde zich toont in zo'n glanzende, minerale weelde dat het land sprankelt als een zee in de zon. Die eindeloze voren zijn de baren, waarin het plankton van het land krioelt – bacteriën, schimmels, mijten, allerlei wormen en insecten – en daaromheen snellen en springen de vissen van de aarde: de mollen, marmotten, woelmuizen, spitsmuizen, konijnen en dergelijke, altijd beducht voor gehaaide vossen. Vogels tjilpen en krijsen even opgewonden als meeuwen boven de zeeën, uitgelaten vanwege de levende rijkdom waar ze boven zweven en waarop ze met een soepele vleugelslag kunnen aanvallen. En erop aanvallen doen ze. Vergilius en Beatrice zien talloze vogels opstijgen, neerduiken en weer omhoogvliegen, met wiekende vleugels, en het leven in de grond schiet alle kanten op, en dat alles – alles – besproeid en bestoven met wind.*
*Het duurt niet lang of het licht wordt fletser, de kleuren dieper, en de duisternis valt in over het land. Terwijl de wind gewoon doorgaat met zijn ruilhandel – een spore voor een geur – is het alsof Overhemd getekend wordt door immense blauwe en grijze strepen die er van noord naar zuid overheen trekken.)*

De taxidermist keek op en zei: 'Ik stel me voor dat die strepen worden geprojecteerd, niet alleen op de achterwand, maar ook op het toneel en het publiek. Het hele theater zal bedekt zijn met blauwe en grijze strepen.'

'En het landschap dan?'

'Dat wordt ook op de wand geprojecteerd, net als de affiches over Vergilius. Het toneel is kaal, op de boom aan de zijkant na. Het opvallendste wordt de grote achterwand, gebogen waarschijnlijk, als van een diorama.'

'En de wind?'

'Luidsprekers. Ze kunnen tegenwoordig geweldige dingen doen met geluidssystemen. De beschrijving die ik van de wind geef is alleen bedoeld om de geluidsontwerper op ideeën te brengen. Ik stel me voor dat Vergilius en Beatrice roerloos staan en dat die wind zeker een paar minuten heel duidelijk hoorbaar is, een zachte, volle bries. Daarna wordt het landschap geprojecteerd en daarna de strepen.'

Hij vervolgde:

VERGILIUS: Zie je die strepen? (*wijst naar de blauwe strepen in het tanende licht.*) Daar en daar.

BEATRICE: Die heb ik nog nooit gezien.

VERGILIUS: Ik ook niet.

BEATRICE: Ik dacht dat je op een bergtop in Kraag moest staan als je ze wilde zien.

'Kraag is ook een provincie,' deelde de taxidermist Henry mee.

'Ja, dat snap ik.'

VERGILIUS: Wolken en mist zullen ze wel aan het zicht onttrekken.

BEATRICE: Ik weet niet zeker of ik geloofde dat ze echt bestonden.

VERGILIUS: De strepen stralen.

BEATRICE: Zo helder als een aquarium in het donker.

VERGILIUS: Zo helder als de waarheid.

(*Stilte.*)

VERGILIUS: (*legt terneergeslagen zijn handen langs zijn gezicht*) Hoe is het mogelijk dat er iets moois bestaat na wat wij allemaal hebben doorgemaakt? Het is onbegrijpelijk. Het is kwetsend. (*Hij stampvoet.*) O, Beatrice, als het op een dag voorbij is, hoe moeten we dan praten over wat ons is overkomen?

(*Stilte.*)

BEATRICE: Ik weet het niet.

(*Vergilius laat de poot van Beatrice los, gaat op handen en voeten staan en zet het op een brullen. Terwijl Vergilius luidkeels uiting geeft aan zijn verontwaardiging, worden landschap en toneel langzaam in duisternis gehuld.*)

‘En dan horen we het gebrul van Vergilius, eerst dat van hem alleen, daarna met het gebrul van andere brulapen erbij, via de geluidsinstallatie. Mijn bedoeling is een grootse, afschrikwekkende symfonie van gebrul.’

‘Waarom heeft Overhemd strepen? Vanwaar dat detail? Het doet me denken aan...’

De winkelbel klingelde. Zonder een woord of gebaar in Henry’s richting stond de taxidermist op om naar de winkel te gaan. Henry zuchtte en keek naar Vergilius en Beatrice.

‘Kapt hij jullie ook altijd zo af?’ vroeg hij Vergilius.

Henry moest denken aan de klok in het verhaal van Flaubert, wanneer het hert naar Julianus toe komt, vlak voordat hij hem vervloekt. Alleen was dat een kleppende klok geweest, geen klingelende winkelbel. Henry stond op om een kijkje te nemen bij de pas voltooide hertenkop. Hij hoorde de taxidermist in de winkel met iemand praten. Henry ging nog wat water drinken bij de gootsteen, uit een ander glas, dat hij met beide handen vasthield. Hij bestudeerde het konijn. Omdat alle gewrichtsbanden nog intact waren, was het skelet niet uit elkaar gevallen. De banden deden denken aan dunne spaghetti.

De taxidermist kwam terug. Hij deed zijn schort af. 'Ik moet weg,' zei hij bruusk.

'Prima. Ik moet er ook vandoor.'

Henry pakte zijn jas.

'Wanneer komt u terug?' vroeg de taxidermist.

Wat is hij toch verrekte bot en direct, met vragen die overkomen als bevelen, dacht Henry.

'Zullen we eens samen naar de dierentuin gaan? We kunnen kiezen.' De stad kon bogen op wel twee dierentuinen, en Henry had een zwak voor dierentuinen. Daar was hij in zekere zin zijn carrière begonnen. 'U hebt vast een boeiende kijk op levende dieren. Ik heb er wekenlang onderzoek...'

'Een dierentuin is namaaknatuur.' De taxidermist liet hem niet uitpraten en trok zijn jas aan. 'De dieren daar zijn gedegenereerd. Ik schaam me ervoor.'

Henry was van zijn stuk gebracht. 'Nou ja, dierentuinen zijn een compromis, dat is een ding dat zeker is, maar dat geldt ook voor de natuur. En als er geen dierentuinen waren, zouden de meeste mensen nooit echte...'

'Ik ga er alleen heen als het moet, voor mijn werk, om een levend dier te bekijken.'

Opnieuw hoorde Henry in de stem van de taxidermist de klap met de rechtershamer. De taxidermist loodste hem met brede, autoritaire gebaren de werkplaats uit.

En ik zál hem zover krijgen dat hij zwicht, dacht Henry.

'Ik beschouw dierentuinen als ambassades van de natuur, elk dier is een afgezant van zijn soort. Maar goed, zullen we afspreken in het café hier verderop? Het is mooi weer. Aanstaande zondag om twee uur? Dat komt mij goed uit.' Henry gaf zijn laatste woorden een gedecideerde klank.

'Goed. Zondag om twee uur in het café.' De taxidermist stemde toonloos toe.

Henry was opgelucht. 'Ik heb een vraag,' liet hij er soepel op volgen terwijl ze door de winkel liepen. 'Die houdt me al bezig sinds ik de openingsscène van uw stuk heb gelezen: vanwaar die minutieuze beschrijving van een doodgewone vrucht? Dat lijkt zo'n vreemd begin.'

'Hoe zei u het ook alweer?' antwoordde de taxidermist. '"Woorden zijn kille, modderige padden die in de wei dartelende kwelgeesten proberen te begrijpen"?'

'Inderdaad. Ik heb "geesten" gezegd.'

'"Maar iets anders hebben we niet."'

'"Maar iets anders hebben we niet",' herhaalde Henry.

'Ga uw gang.' De taxidermist deed de winkeldeur open om Henry uit te laten. 'De werkelijkheid is ongrijpbaar want onbeschrijflijk, net als een eenvoudige peer. De tijd verslindt alles.'

En daarna werd de deur praktisch voor Henry's neus dichtgeslagen, en daar stond hij, met het beeld voor ogen van de Tijd die een peer naar de vergetelheid helpt. De taxidermist deed de deur op slot, draaide het bordje dat eraan hing om van OPEN naar GESLOTEN, en verdween weer naar zijn werkplaats. Henry trok zich de aan onbeschoftheid grenzende bruuskheid niet aan. De man gedroeg zich waarschijnlijk tegenover iedereen zo, vermoedde hij. Het was niet persoonlijk bedoeld.

Erasmus was in elk geval blij hem te zien. De hond sprong jankend van blijdschap op en neer.

Henry had de taxidermist nog iets willen vragen. In Overhemd waren niet alleen een aap en een ezel en een boom en een landweg en een schilderachtig landschap. Er waren ook nog 'een jongen en zijn twee vrienden'. Er speelden dus ook mensen in het stuk?

Eenmaal weer thuis vertelde hij Sarah over zijn tweede bezoek aan de taxidermist.

'Wat een figuur. Een echte brombeer. En dat stuk van hem, ik snap er nog niet veel van. De personages zijn dieren – een aap en een ezel – en ze wonen op een enorm overhemd. Het is allemaal fantasie, maar toch zijn er elementen die me, nou ja, die me doen denken aan de Holocaust.'

'De Holocaust? Jij ziet overal de Holocaust in.'

'Ik wist wel dat je dat zou zeggen. Maar in dit geval wordt er bijvoorbeeld nadrukkelijk verwezen naar gestreepte overhemden.'

'Nou en?'

'Nou ja, tijdens de Holocaust...'

'Ja, ik weet heus wel van die gestreepte overhemden en de Holocaust. Maar neem de kapitalisten in Wall Street, die dragen ook gestreepte overhemden, en clowns dragen horizontale strepen. Iedereen heeft wel iets gestreepts in de kast hangen.'

'Misschien heb je gelijk,' zei Henry.

Hij was geïrriteerd. Sarah had al heel lang geen belangstelling meer voor de Holocaust, althans voor zijn creatieve betrokkenheid erbij. Maar ze had ongelijk. Het was niet zo dat hij overal de Holocaust in zag. Het was zo dat hij in de Holocaust alles zag: niet alleen kampslachtoffers, maar ook kapitalisten en vele anderen, misschien zelfs wel clowns.

Die zaterdag gingen Henry en Sarah spullen kopen voor de baby, die niet lang meer op zich zou laten wachten. Wandelwagen, reiswieg, draagzak, piepkleine kleertjes – terwijl ze die dingen aanschaften, week de glimlach geen moment van hun gezicht.

Ze waren niet zo ver van de winkel van de taxidermist. Impulsief stelde Henry voor om er even langs te gaan. Sarah stemde in. Een slecht idee. Het bezoek verliep niet goed. Buiten moest Sarah toegeven dat de okapi er prachtig uitzag. Maar ze waren nog niet binnen, of Henry merkte dat Sarah zich niet op haar gemak voelde. Toen de taxidermist uit zijn hol tevoorschijn kwam, was het of ze terugdeinsde. Henry liet haar alles zien, wees op bijzonderheden, probeerde haar een enthousiaste reactie te ontlokken. Sarahs opmerkingen waren kort en ze knikte werktuiglijk instemmend bij alles wat Henry zei. Ze maakte een gespannen indruk. De taxidermist op zijn beurt keek nors. Henry was als enige aan het woord.

Ze waren amper thuis of ze kregen ruzie.

'Hij helpt me,' zei Henry.

'Hij helpt jou, hoezo? Waarmee? Met die afschuwelijke apenschedel die hij je heeft aangesmeerd? Wat is dat voor monsterlijk ding? Yorick, en dan speel jij Hamlet?'

'Ik doe er ideeën op.'

'Natuurlijk, dat was ik vergeten. De aap en de ezel. *Winnie-the-Pooh meets the Holocaust.*'

'Dat is het niet.'

'HET IS EEN GRIEZEL! HEB JE GEZIEN HOE HIJ NAAR ME KEEK?'

'Je hoeft niet zo tegen me te schreeuwen. Iedereen kijkt altijd naar zwangere vrouwen. En wat maakt het jou uit met wie ik omga? Ik vind die winkel van 'm interessant. Het...'

'HET IS ER GODDOMME NET EEN MORTUARIUM! JIJ VERDOET JE TIJD BIJ DODE OPGEZETTE DIEREN EN EEN VERLOPEN OUWE KEREL!'

'Heb je liever dat ik naar de kroeg ga?'

'DAAR GAAT HET NIET OM!'

'Schreeuw niet zo tegen me.'

'ANDERS LUISTER JE NIET NAAR ME!'

En zo ging dat maar door, een knallende ruzie, terwijl ze midden tussen de tassen met babyspullen stonden.

De volgende ochtend ging Henry vroeg van huis voor zijn muziekles. De gebeurtenissen spanden samen om hem in een betere stemming te brengen. Allereerst verraste zijn klarinetleraar hem met een cadeau.

'Dat kan ik niet aannemen,' zei Henry.

'Waar heb je het over? Hij is van een goede vriend, een oudleerling. Hij heeft hem in geen eeuwigheid gebruikt. Hij wilde ervan af. Ik heb hem voor een schijntje overgenomen. Wat heeft het ding voor nut als het nooit wordt gebruikt?'

'Ik wil er graag voor betalen.'

'Geen sprake van! Over mijn lijk. Je mag me betalen door er mooi op te spelen.'

Henry had een schitterende Albert-systeemklarinet in zijn handen.

'En volgens mij ben je eraan toe om je aan iets van Brandwein te wagen,' vervolgde zijn leraar. 'We beginnen vandaag.'

Misschien krijgt mijn zware zwarte os nu vleugels, dacht Henry. Per slot van rekening speelde hij heel erg veel. Daar had hij twee trucs voor bedacht. Ten eerste had hij een hoekje van de flat helemaal voor musiceren ingericht: de standaard paraat, de muziek op orde, de klarinet schoon en een kopje bij de hand om zijn rietjes in warm water te kunnen weken. Ten tweede oefende hij vaak, maar alleen in korte sessies van hooguit een kwartier. Meestal deed hij dat vlak voor een belangrijke afspraak. Als hij goed speelde vond hij het dan jammer om op te houden en verheugde hij zich op de volgende keer, en als hij slecht speelde moest hij ophouden voordat hij de klarinet door moedeloosheid en wanhoop gedreven uit het raam gooide. Op die manier oefende hij wel drie, vier keer per dag.

Hij had een trouw, tweekoppig publiek: Mendelssohn, die geduldig geboeid was zoals alleen een kat dat kan zijn, en de apenschedel, die hij vlakbij op de schoorsteenmantel had gezet. Als hij aan het spelen was waren hun ronde ogen, die van de kat en die van de schedel, altijd op hem gericht. Erasmus, de cultuurbarbaar, begon zo te janken en te jammeren dat Henry hem in een andere kamer moest opsluiten, gewoonlijk bij Sarah.

Ook het weer stemde Henry mild. Het was een zondag die zijn heidense naam stralend eer aandeed, een krachtige, rebelse stoot warm weer die verkondigde dat de winter bijna het veld moest ruimen. Er ontsnapte muziek uit deuren en ramen die eindelijk open konden blijven, en overal in de stad werd druk geflaneerd. Henry ging vroeg naar het café om er vóór zijn afspraak met de taxidermist nog even een hapje te eten. Dat was een slim idee geweest, want het was er vol. Hij vond nog net een tafeltje bij de muur, met twee stoelen, een in de zon en een in de schaduw. Zoals gewoonlijk had hij Erasmus bij zich, die niet zo energiek was als anders. De hond ging rustig in de schaduw van de tafel liggen.

De taxidermist arriveerde met militaire precisie stipt om twee uur.

'Zon, heerlijk warme zon!' zei Henry met theatraal gespreide armen.

'Ja,' was alles wat de taxidermist antwoordde.

'Waar wilt u zitten?' vroeg Henry, en hij maakte aanstalten om op te staan ten teken dat hij bereid was te verhuizen.

Zonder een woord te zeggen nam de taxidermist de vrije stoel, die in de schaduw stond. Henry ging achteroverzitten. Buiten het territorium van zijn zaak leek de taxidermist niet op zijn plaats. Hij was te dik gekleed voor deze warmte. Toen de ober kwam viel het Henry op dat de vraag 'Wat zal het zijn?' alleen tot hem werd gericht en niet tot de taxidermist. De taxidermist keek ook niet naar de ober. Henry bestelde een latte en een plak maanzaadcake.

'En u?' vroeg Henry.

'Een zwarte koffie,' zei de taxidermist, strak naar de tafel kijkend.

De ober vertrok zonder een woord te zeggen.

Of hij hen van meet af aan niet mocht of omgekeerd, de antipathie was inmiddels duidelijk wederzijds. Als er een winkeliersvereniging bestond, was het goed voorstelbaar dat de eigenaars van de chique bruidswinkel, de keurige juwelier, de mondaine restauranthouder, de baas van het hippe café en de anderen zich aan de ene kant van bepaalde kwesties opstelden, met daartegenover de oude taxidermist, de man bij wie vrachtwagens karkassen afleverden, de man die nooit glimlachte of lachte. Henry wist niet om wat voor kwesties het ging, maar ze waren er ongetwijfeld. Of het nu een zonnige, regenachtige of gewone dag is, de politiek speelt altijd een rol.

'Hoe gaat het met u?'

'Goed.'

Henry haalde diep adem en damde zijn vrolijkheid drastisch in. Als hij het spel niet volgens de regels van de oude man speelde, zou hij alleen eenlettergrepige antwoorden krijgen. Eén ding was zeker: hij was niet van plan het mislukte bezoek van de vorige dag samen met zijn vrouw ter sprake te brengen.

'Ik heb zitten denken,' zei Henry. 'In uw stuk geeft u een beschrijving van Vergilius. U moet ook een beschrijving geven van Beatrice.'

'Dat heb ik ook gedaan.'

'Dat dacht ik omdat ik een paar dagen geleden een ezel heb gezien.'

'Waar hebt u een ezel gezien?'

'In de dierentuin. Ik ben alleen gegaan.'

De taxidermist knikte, maar toonde niet veel belangstelling.

'Toen ik hem zag moest ik aan u denken,' vervolgde Henry. 'Ik heb hem eens goed bekeken. Weet u wat me is opgevallen?'

'Nou?' De taxidermist haalde een opschrijfboekje en een pen uit de binnenzak van zijn jas.

'Het viel me op dat een ezel op een prettige manier aards en krachtig is – het is een mooi, stevig beest – maar dat hij verrassend slanke poten heeft. De ezel is even stevig en toch soepel met de aarde verbonden als een berk. En dan die prachtige, ronde, compacte hoeven. En als hij stilstaat houdt hij zijn poten recht onder zich. Als hij loopt doet hij dat sierlijk en met korte stappen. De kop – de ranke oren, de donkere ogen, de neus, de bek, de lange snuit – is fraai geproportioneerd. De lippen zijn sterk en beweeglijk. Als een ezel eet klinkt het kraken en malen zeer rustgevend in de oren. En het gebalk is even eerlijk en tragisch als een snik.'

'Dat is helemaal waar,' zei de taxidermist terwijl hij van alles in zijn opschrijfboekje noteerde.

'Sommige ezels hebben een kruis in het haar op rug en schouders, net als een christelijk kruis.'

'Ja. Toeval.' Dat detail schreef de taxidermist niet op.

'Maar goed, wat doen Beatrice en Vergilius?'

'Wat bedoelt u?'

'Wat doen ze in het stuk? Wat gebeurt er?'

'Ze praten.'

'Waarover?'

'Over van alles. Ik heb een scène bij me. Die speelt zich af nadat ze voedsel zijn gaan zoeken en de een bang is dat hij de ander kwijt is. Kort nadat Beatrice Vergilius is gaan zoeken, komt Vergilius terug.'

Hij keek achterdochtig naar de andere tafeltjes. Niemand besteedde aandacht aan hen. De taxidermist haalde een paar opgevouwen vellen papier uit zijn borstzak. Henry dacht dat hij eindelijk iets te lezen zou krijgen. Maar nee, de taxidermist vouwde ze open, vlak voor zijn neus, boog zich naar voren en schraapte zijn keel. Zelfs hier, en plein public, was hij van plan voor te lezen. Wat een controlfreak, dacht Henry geïrriteerd. De taxidermist begon met zachte stem:

(*Vergilius pulkt in de grond, zoekt naar een denkbeeldige teek.*)

BEATRICE: (*verschijnt van rechts*) Zit je daar! Ik zocht je.

VERGILIUS: Ik heb je gemist!

BEATRICE: Ik jou ook!

(*Ze omhelzen elkaar.*)

VERGILIUS: Ik was bang dat je iets was overkomen.

BEATRICE: Dat dacht ik ook.

VERGILIUS: Als jou iets overkomt, wil ik dat mij hetzelfde overkomt.

BEATRICE: Dat voel ik net zo.

(*Stilte.*)

BEATRICE: Hoe gaat het met je rug?

'Vergilius heeft altijd last van zijn rug. En Beatrice heeft altijd last van haar nek,' deelde de taxidermist Henry mee. 'Dat komt door de stress. En zij loopt mank. Dat wordt later nog verklaard.'

BEATRICE: Hoe gaat het met je rug?

VERGILIUS: Goed. Hoe gaat het met je nek?

BEATRICE: Die is niet meer zo gespannen.

VERGILIUS: Hoe is het met je poot?

BEATRICE: Die kan weer een hele dag mee.

VERGILIUS: Ik heb niets te eten gevonden.

BEATRICE: Ik ook niet.

(*Stilte.*)

BEATRICE: Wat moeten we doen?

VERGILIUS: Ik weet het niet.

BEATRICE: Deze weg moet toch ergens heen leiden.

VERGILIUS: Maar willen we daar zijn?

BEATRICE: Misschien brengt hij geluk.

VERGILIUS: Misschien brengt hij ongeluk.

BEATRICE: Wie zal het zeggen?

VERGILIUS: Hier is het veilig en prettig.
BEATRICE: Misschien komt het gevaar sluipend dichterbij.
VERGILIUS: Moeten we dan weggaan?
BEATRICE: Eigenlijk wel.
(*Ze blijven staan waar ze staan.*)
VERGILIUS: Ik ken drie moppen.
BEATRICE: Dit is niet het moment voor moppen.
VERGILIUS: Ze zijn leuk, heus.
BEATRICE: Ik kan het niet meer. Ik kan niet meer lachen, ik kan niet eens meer proberen om te lachen. Nergens om.
VERGILIUS: Dan hebben die misdadigers ons dus echt alles afgenomen.

De ober kwam naar hen toe. De taxidermist zweeg en hield zijn papieren onder tafel. De ober zette hun koffie en Henry's cake neer.

'Alstublieft,' zei de ober.

'Dank u.'

Henry bedacht dat hij was vergeten twee vorkjes te vragen. Met de vork die de ober had gebracht sneed hij de plak cake in een paar stukken. Hij legde de vork aan de kant van de taxidermist op het schoteltje. Hij kon zijn koffielepeltje wel gebruiken.

'Ga uw gang,' zei Henry.

De taxidermist schudde zijn hoofd. Hij haalde het toneelstuk weer tevoorschijn.

'"Die misdadigers..."' herhaalde Henry.

De taxidermist knikte en vervolgde:

VERGILIUS: Dan hebben die misdadigers ons dus echt alles afgenomen.
(*Stilte.*)
BEATRICE: Goed, vooruit, vertel me die moppen maar.

VERGILIUS: Jammer dat er geen koffie is.
BEATRICE: Jammer dat er geen cake is.
(*Ze gaan weer bij de boom staan.*)

De ironie van de timing ontging Henry niet. Op het moment dat zij hun koffie met cake kregen voorgezet klaagden Vergilius en Beatrice dat ze die misten. En eerder had Beatrice gezegd dat de zon was weggegaan en hen zonder geloof had achtergelaten, en zij zaten zich hier in de zon te koesteren. Ook viel het hem op hoe naakt en levendig Vergilius en Beatrice waren, en dat ze zoveel meer van zichzelf lieten zien dan hun schrijver.

VERGILIUS: Mop één. (*Hij buigt zich naar voren en legt zijn handen rond het oor van Beatrice. Hij fluistert fel. Af en toe zijn slechts een paar woorden van de mop te verstaan.*) ... en een bakker... de dochter zegt... de volgende dag... een hele maand... hij is een wrak... en dan zegt ze... (*Hij onthult de clou.*)
BEATRICE: (*op doffe toon, zonder te lachen*) Dat is geestig.
VERGILIUS: Mop twee. (*Weer fluistert hij Beatrice in haar oor.*) ...gaat naar een andere gevangene toe... de letter u... zegt, terwijl hij op zijn borst wijst... (*Clou.*)
BEATRICE: Ik snap 'm niet.
VERGILIUS: In het Hongaars... (*Hij fluistert haar de uitleg in.*)
BEATRICE: (*op doffe toon, zonder te lachen*) O, nu snap ik 'm.
VERGILIUS: Mop drie (*Hij fluistert in haar oor.*)
BEATRICE: (*op doffe toon, zonder te lachen*) Die ken ik al.

'Dergelijke gesprekken voeren ze in het begin,' zei de taxidermist. 'Om de tijd te doden en om te bedenken wat ze moeten gaan doen.'

'Moppen die worden gefluisterd, mooi. Dat is goed.'

'Ze spreken ook wel eens alleen. Monologen. Beatrice kan nog steeds goed slapen, hele nachten zelfs, en ze droomt ook. Maar Vergilius slaapt slecht. Hij heeft altijd dezelfde droom: een geluid – een soort geboor – dat geleidelijk aan harder wordt tot hij naar adem snakkend wakker wordt en zijn ogen opensprin-gen als geknapte ballonnen, zoals hij het noemt. Hij zegt gek-scherend dat hij altijd over termieten droomt. Het is de angst.'

'Waarom is Vergilius zo bang?'

'Omdat hij een brulaap is in een wereld die geen behoefte heeft aan brulapen.'

Henry knikte.

De taxidermist ging verder. 'Terwijl Beatrice slaapt, praat Ver-gilius soms in zichzelf. Halverwege hun eerste nacht bij de boom wordt hij wakker en begint hij over een bepaald boek, *Jacques de fatalist en zijn meester*.'

'Ja, van Denis Diderot,' zei Henry. Een Franse klassieker uit de achttiende eeuw. Lang geleden had hij het gelezen.

'Ik begreep er helemaal niets van,' zei de taxidermist.

Henry probeerde zich de roman voor de geest te halen. Jacques en zijn meester trekken te paard rond, pratend over van alles en nog wat. Ze vertellen verhalen, maar worden telkens onderbro-ken door de gebeurtenissen. Jacques is vermoedelijk een fatalist en zijn meester niet, hoewel Henry daarbij afging op de titel, want zijn geheugen liet hem in de steek. Het stond hem niet meer goed bij of hij de roman echt had 'begrepen'. Hij herinner-de zich alleen de Franse lichtheid en de moderne, komische sfeer, een soort bereden Beckett.

'Waarom verwijst u in uw stuk naar een roman die u niet be-grijpt?' vroeg Henry.

De taxidermist antwoordde: 'Daar heb ik geen moeite mee. Ik maak er gebruik van omdat het een element bevat dat me goed uitkwam. Jacques en zijn meester discussiëren over de verschil-lende verwondingen die een lichaam te verduren kan krijgen en de daarmee gepaard gaande pijn. Jacques beweert met klem dat knieletsel de kroon spant als het gaat om afgrijselijke, ondraaglijke pijn. Vergilius weet niet meer of Jacques' voorbeeld slaat op de val van een paard waarbij iemand zijn knie tegen een scherpe steen stoot, of op een musketschot in dat lichaamsdeel. Hoe dan ook, toen Vergilius het boek las vond hij het overtuigend. Maar tijdens zijn monoloog denkt hij diep na over het meten en vergelijken van fysieke pijn. Hij erkent dat de kniepijn die Jacques had beschreven vast overweldigend was, maar ook een schok: kort en krachtig op het moment zelf, maar daarna een stuk minder erg. Hoe valt dat te vergelijken met de zeurende, hinderlijke pijn van een zwakke rug? Een knie is klein, een lokale verbinding die je betrekkelijk makkelijk kunt sparen. Hoe weldadig het is om je knieën niet te gebruiken wordt zelfs bejubeld in een gemeenplaats: "Even met de benen omhoog." Maar de rug is een waar spoorwegknooppunt dat alles met alles verbindt, dat voortdurend onder druk staat. En de pijn van honger en dorst dan? Of die volstrekt andere pijn, de pijn die geen schade toebrengt aan bepaalde organen maar wel dodelijk is voor de geest die ze verbindt? Daar aangekomen begint Vergilius te huilen, maar hij beheerst zich om Beatrice niet wakker te maken. Dat is een van zijn monologen in het stuk.'

'Ik begrijp het.'

'De volgende ochtend houdt hij weer een monoloog, terwijl Beatrice nog slaapt. Vergilius herinnert zich hoe hun ellende is begonnen. Dat wil zeggen in zijn hoofd, op het moment dat hij besefte wat er eigenlijk gaande was. Hij speelt het na. Hij zit in zijn favoriete café zijn ochtendkrantje te lezen en zijn aandacht wordt getrokken door een van de koppen. In die kop wordt een decreet vermeld dat betrekking heeft op een nieuwe categorie burgers, of liever gezegd, zoals uit het artikel blijkt, op een categorie burgers en een nieuwe categorie niet-burgers. Met stijgende verbazing leest Vergilius verder, en het dringt tot hem door dat hij – hij persoonlijk, met al zijn specifieke kenmerken, deze aap die in een café de krant zit te lezen, zoiets doodnormaals – precies het beoogde doelwit is.'

Dat moest hij onthouden, dacht Henry: een decreet dat Vergilius buitensloot. Hij wilde de taxidermist liever niet onderbreken, want de man werd steeds geanimeerder. Enkele bezoekers keken steels naar hen. Van de ober die weer naar hun tafeltje kwam trok de taxidermist zich echter wel iets aan. Hij legde zijn handen in de schoot en sloeg zijn ogen neer.

'Kan ik u ergens mee helpen?' vroeg de ober aan Henry. Hij verbeterde zichzelf: 'Kan ik nog iets voor u halen?'

'Nee, dank u. Wilt u nog een kop koffie?'

De taxidermist zei niets, maar schudde alleen licht van nee. Het was alsof hij probeerde te doen alsof hij er niet was.

'De rekening graag.'

'Jazeker.'

Henry had het idee dat de ober iets tegen de taxidermist wilde zeggen, maar zich bedacht en wegliep.

De taxidermist was vastbesloten zijn beschrijving van Vergilius' caféscène af te maken. Hij vertelde snel verder.

'Het is de verdrijving uit de Hof van Eden! De zondeval! In een oogwenk wordt de krant omgetoverd in een reusachtige zwevende vinger die naar hem wijst. Vergilius is doodsbang dat de andere bezoekers – velen zitten dezelfde krant te lezen – hem zullen opmerken. Zie je wel, daar, en daar, keken ze niet net zijn kant op? En zo zijn de gebeurtenissen zijn leven binnen gedrongen, klaagt hij, zoals ze de levens waren binnen gedrongen van zo vele anderen, een enorme, geschakeerde groep waartoe hij en Beatrice behoorden, en anderen en nog eens vele anderen: in één helder ogenblik. Op dat moment versplinterde de wereld als een glazen ruit, zodat alles er nog precies zo uitzag als daarvoor maar toch anders was, onbelemmerd nu, en met een nieuwe scherpe dreiging. Daarna...'

De ober kwam de rekening brengen. Opmerkelijk snel, vond Henry. Wil hij van ons af? Hij betaalde, en ze stonden op. Omdat de taxidermist nog niet was uitverteld, zat er niets anders op dan naar zijn zaak te lopen. Het was dichtbij, maar het leek wel een andere wereld. Er kwam haast niemand voorbij en het was er veel rustiger dan in het commerciëlere gedeelte van de straat. Toen Henry ditmaal de hoek omsloeg, zag hij tot zijn teleurstelling zwarte stof voor de erkerramen hangen. Het tafereel waarop hij zich had verheugd was dan ook totaal anders. Nu er geen okapi naar buiten keek, was er amper sprake van een tafereel. Alleen een vervagende oerwoudschildering op een bakstenen muur. De taxidermist zag hem naar de zwarte stof kijken.

'Ik wil niet dat de mensen voor de etalage blijven rondhangen als de winkel dicht is. Met mensen weet je het maar nooit,' zei hij terwijl hij de sleutel uit zijn jaszak viste. Intussen keek hij om zich heen en monsterde hij de schaarse voorbijgangers: een middelbaar echtpaar, een slungelige tiener, een man alleen.

'U houdt niet van mensen, hè?' zei Henry, wat hij luchthartig bedoelde.

De taxidermist keek nog even naar de voorbijgangers, daarna richtte hij zijn blik op Henry – en het was een geconcentreerde speldenprik, helemaal op hem gericht, dierlijk intens, letterlijk de blik van een dier. Terwijl de taxidermist hem met zijn borende ogen strak aankeek, dacht Henry maar één ding: *ik ben een mens.*

Henry probeerde het goed te maken. 'Ik bedoelde: in het gezelschap van dieren bent u op uw gemak. U kent ze. Maar mensen, mensen zijn vreemd en onbetrouwbaar. Dat bedoelde ik.'

Zonder een woord te zeggen draaide de taxidermist zich om en deed de winkeldeur van het slot. Ze gingen naar binnen. Daar in het halfduister, verscholen en stil, gespannen wachtend op zijn terugkeer, waren al zijn dieren. Toen hij hier en daar een lamp aanknipte, leken ze door het licht tot leven te komen. De taxidermist was zichtbaar opgelucht weer in zijn winkel te zijn. Hij liep naar de achterkamer. Henry wachtte nog even, terwijl Erasmus zich naast de toonbank voorin op de grond installeerde. De hond was niet in zijn gewone doen, merkte Henry in het voorbijgaan op.

Toen Henry de werkplaats binnen kwam zat de taxidermist al aan zijn bureau. Henry ging naar zijn bekende plek op de kruk. De taxidermist moest en zou zijn verhaal afmaken. Hij kon nu vrijer spreken.

'Na het incident in het café waar hij de krant had zitten lezen, klaagt Vergilius erover dat zijn gevoelens zijn verschrompeld. Hij verbetert zichzelf: hij zegt dat één gevoel is uitgedijd – angst – en dat alle andere gevoelens zijn verschrompeld. Intellectuele prikkeling, esthetisch genoegen, stille waardering, dierbare herinneringen, geestige gesprekken – dat alles is verdrongen door angst, zodat hij vrijwel aldoor gelaten en onverschillig is. Als hij Beatrice niet had, zegt Vergilius, dan zou hij helemaal niets voelen. Dan zou hij alles afschudden, misschien zelfs wel de angst. Hij zou een wandelend lijk zijn, een geheel van gedachteloze functies, als een huis zonder de bewoners. Dat zegt hij allemaal, en dan herinnert hij zich het landschap van de avond ervoor, hoe hem dat had ontroerd. Gezien de omstandigheden verbaast het hem dat hij ontroerd was door een windvlaag en een paar akkers en velden. Alsof je in een brandend museum nog even de tijd neemt om een mooi landschapje te bewonderen.'

Henry vroeg zich af of de taxidermist in zijn winkel woonde, niet erboven of erbij, maar echt erín. Hij keek naar Vergilius en Beatrice en had ze bijna begroet. Hij kende ze inmiddels al aardig goed.

De taxidermist ging onstuitbaar verder.

'Hij is zo opgetogen over die onverwacht opwellende emotie dat hij zomaar, van pure vreugde, opstaat en een radslag maakt zodat hij op zijn handen staat. Hij bekijkt het landschap ondersteboven. Hij buigt opzij en steunt op één arm, wat hem makkelijk afgaat. Even later gaat hij weer op handen en voeten staan en doet dezelfde evenwichtsoefening op zijn poten, eerst op beide en dan op één. Voor een brulaap is dat een stuk moeilijker. Normaal gesproken zijn ze niet tweevoetig. Zijn beide armen trillen, zijn opgeheven poot beeft, zijn staart zwiept heen en weer. En op dat moment wordt Beatrice wakker en stelt hem de vraag waar het stuk om draait.'

Hij begon op zijn bureau te zoeken. Henry begreep niet waarom de papieren van de taxidermist zo door elkaar lagen. Hij rommelde er aldoor in. Waarom liet hij ze niet op volgorde liggen? Per slot van rekening was het een toneelstuk, een opeenvolging van scènes waar een logische verhaallijn in moest zitten.

'Aha, hier heb ik het,' zei de taxidermist. En hij begon weer voor te lezen:

BEATRICE: Vergilius, je hebt gisteren een vraag gesteld.

VERGILIUS: (*staat met zijn rug naar haar toe te wankelen, valt bijna, maar ziet toch kans op één poot zijn evenwicht te bewaren*) O, je bent wakker! Goedemorgen. Hoe heb je geslapen?

BEATRICE: Heel goed, dank je. Raad eens waarover ik heb gedroomd?

VERGILIUS: (*nog steeds op één poot*) Nou?

BEATRICE: Een peer!

VERGILIUS: (*nog steeds op één poot*) Maar je hebt nog nooit een peer gezien.

BEATRICE: In mijn droom heb ik er beslist eentje gezien. Hij was groter dan een ananas.

VERGILIUS: (*nog steeds op één poot*) Wat zou dat lekker zijn.

BEATRICE: Je hebt gisteren een vraag gesteld.

VERGILIUS: (*nog steeds op één poot*) O ja? Dat heeft toch geen zin.

| | |
|---|---|
| BEATRICE: | Jawel, het was een goede vraag. Gisteravond bij het slapengaan heb ik erover nagedacht. |
| VERGILIUS: | (*nog steeds op één poot*) Wat was die vraag dan? |
| BEATRICE: | Je vroeg: 'Als het op een dag voorbij is, hoe moeten we dan praten over wat ons is overkomen?' (*Vergilius valt om.*) |
| VERGILIUS: | Aangenomen dat we het overleven. |

'Dat is de vraag waar het stuk om draait: hoe moeten ze praten over wat ze is overkomen? Telkens weer komen ze bij die vraag uit.'

'En om de vraag te beantwoorden die ik u in het café stelde,' onderbrak Henry hem, 'over wat er in het stuk gebeurt: wat er gebeurt, is dat ze praten over praten.'

'Ik beschouw het als praten over het geheugen.'

Als Henry het nog niet had begrepen, dan begon hem nu te dagen wat er aan het stuk van de taxidermist schortte, waarom de man hulp nodig had. Er scheen geen actie in het stuk te zitten, en ook een plot ontbrak. Twee pratende personages bij een boom, meer niet. Bij Beckett en Diderot had dat goed gewerkt. Maar die waren heel slim, en ze hadden in het schijnbare gebrek aan handeling een hoop actie weten te stoppen. De schrijver van *Een twintigste-eeuws overhemd* kreeg zijn actieloze stuk echter niet van de grond.

Henry had graag gezien dat de taxidermist tekst en uitleg gaf over zijn stuk, maar hij wilde niet als eerste over de Holocaust beginnen. Volgens hem zou de taxidermist toeschietelijker zijn als hij het onderwerp zelf ter sprake bracht.

'Dan zal ik een eenvoudige vraag stellen: waar gaat uw stuk over?'

De woorden waren Henry nog niet over de lippen, of hij bedacht hoe ironisch ze waren. Het was dezelfde vraag die de historicus hem bijna drie jaar geleden had gesteld tijdens die afschuwelijke lunch in Londen, de vraag waar hij kapot van was geweest en waarop hij het antwoord schuldig had moeten blijven. En nu had hij hem zelf gesteld. Maar de taxidermist had er geen moeite mee. Hij schreeuwde hem zijn antwoord bijna toe.

'Het gaat over hen!' Hij maakte een heftig handgebaar dat het hele vertrek omvatte.

'Over hen?'

'Over de dieren! Tweederde is dood. Begrijpt u dat dan niet?'

'Maar...'

'Als je kijkt naar aantal en verscheidenheid is alles bij elkaar twee derde van alle dieren uitgeroeid, voorgoed weggevaagd. Mijn stuk gaat over die' – hij zocht naar de juiste woorden – 'die onomkeerbare gruwel. Vergilius en Beatrice noemen het... Wacht!'

Henry schrok van de felheid en de overtuiging in zijn stem. De taxidermist dook weer in zijn paperassen. Ditmaal vond hij snel wat hij zocht.

BEATRICE: Hoe zullen we het noemen?
VERGILIUS: Dat is een goeie vraag.
BEATRICE: De Gebeurtenissen?
VERGILIUS: Niet plastisch genoeg, en er klinkt geen oordeel in door. De benaming en de aard moeten samenvallen.
BEATRICE: Het Ondenkbare? Het Onvoorstelbare?
VERGILIUS: Als het ondenkbaar of onvoorstelbaar is, waarom zou je dan al die moeite doen?
BEATRICE: Het Onnoembare?
VERGILIUS: Als we er niet eens een naam aan kunnen geven, hoe kunnen we er dan over praten?
BEATRICE: De Zondvloed?
VERGILIUS: Het weer had er niets mee te maken.
BEATRICE: De Ramp?

VERGILIUS: Dat kan van alles zijn, een overstroming, een aardbeving, een ontploffing in een mijn.

BEATRICE: De Verschroeiing?

VERGILIUS: Dat zou een bosbrand kunnen zijn.

BEATRICE: Het Schrikbewind?

VERGILIUS: Dat klinkt als iets wat snel gebeurt, iets waar rennen en hijgen aan te pas komen. Er zit niet genoeg berekening in. Trouwens, dat is al eens gebruikt.

BEATRICE: Het Tohu-bohu?

VERGILIUS: Dat klinkt als een veganistische burger.

BEATRICE: De Verschrikking?

VERGILIUS: Dat is sterker.

BEATRICE: Beter nog: de Verschrikking*en*, meervoud. En dan moet de s een ronding hebben als een lepel in een helse soep, die het ondenkbare en het onvoorstelbare opdient, het rampzalige en het verschroeiende, het schrikbewind en het tohu-bohu.

VERGILIUS: We zullen het de Verschrikkingen noemen.

BEATRICE: Goed.

(*Stilte.*)

BEATRICE: En, hoe zullen we erover praten, over de Verschrikkingen?

'Ziet u, de vraag komt telkens weer terug. Vergilius en Beatrice stellen een lijst op, een heel belangrijke lijst. Hier, kijk.'

De taxidermist stond abrupt op. Henry volgde zijn voorbeeld. De taxidermist liep om zijn bureau heen naar Beatrice toe. Met de ene hand op Vergilius' romp en de andere onder zijn gebogen poot tilde hij de aap van de ezelsrug. Hij zette hem op het bureau.

'Kijk,' zei hij nogmaals.

Hij wees op de rug van Beatrice. Henry keek. Het enige wat hij zag was dik ezelhaar, met hier en daar wat klitten. De taxidermist ging zijn lamp halen. Toen hij het licht op haar rug liet schijnen, zag Henry een vaag patroon in het geklitte gedeelte van de vacht.

'Dat is de lijst,' zei de taxidermist. 'Omdat ze in een land wonen dat Overhemd heet, hebben ze het over hun versteldoos. Op de rug van Beatrice noteert Vergilius met een vochtige vinger een lijst van alle manieren die ze bedenken om over de Verschrikkingen te kunnen praten.'

Henry keek nog eens goed naar de vacht van Beatrice. Volgens hem was het onmogelijk om met spuug en haar op een ezelrug iets te noteren, in elk geval niet iets wat het einde van een gewone dag zou halen, maar dit was ongetwijfeld een van de symbolen van de taxidermist.

'Het eerste punt op de lijst is een brul. Dat stelt Beatrice voor, vanwege Vergilius' gebrul de vorige nacht. Het tweede is een zwarte kat.'

'Een zwarte kat? Hoe kan een zwarte kat nou een manier zijn om over de Gruwelen te praten?'

'De Verschrikkingen. Zo.'

De taxidermist zette Vergilius behoedzaam terug op Beatrice en pakte zijn papieren weer. Henry bepeinsde dat het een stuk eenvoudiger zou zijn als hij het stuk zelf ter hand kon nemen om het te lezen. Hij besefte dat hij bíjna had gedacht 'en het te schrijven'.

De taxidermist vond de juiste pagina en las voor:

VERGILIUS: Erover praten om ermee te leren leven... Daarom doen we dit, neem ik aan?

BEATRICE: Ja. Om niet te vergeten en toch verder te leven.

VERGILIUS: Om te weten en toch gelukkig te zijn – althans tevreden, productief.

BEATRICE: Ja.

VERGILIUS: Alsof er een kat in huis woont. Altijd aanwezig, maar zonder dat hij ons leven overneemt. Een kat moet te eten krijgen, geborsteld worden, soms alle aandacht krijgen, maar hij neemt er meestal genoegen mee om in zijn eentje in een hoekje te liggen, wel bij ons, maar niet voortdurend in onze gedachten.

BEATRICE: De Verschrikkingen als een brul en als een zwarte kat.

VERGILIUS: Dat moet ik noteren. (*Hij kijkt om zich heen. Hij ziet de rug van Beatrice.*) Ik weet al waar. (*Hij maakt een vingertop nat met zijn tong en schrijft op haar vacht door de haartjes glad te strijken. Hij likt nog een paar keer aan zijn vingertop. Als hij klaar is kijkt hij tevreden naar het resultaat.*) Zo. Dat noemen we onze versteldoos.

BEATRICE: Versteldoos, verteldoos.

VERGILIUS: Zo is het.

'Ook dat is weer symbolisch,' zei de taxidermist.

'Ja, dat begrijp ik. Maar al dat gepraat. In een toneelstuk moet er, net als in een verhaal...'

'Er zit ook stilte in. Op een gegeven moment zegt Vergilius dat woorden maar "veredeld gegrom" zijn. "Woorden worden overschat," zegt hij. Daarna proberen ze op andere manieren over de Verschrikkingen te praten, door middel van gebaren en geluiden en gezichtsuitdrukkingen. Maar daar worden ze doodmoe van. Die scène heb ik hier nu voor me liggen.'

Hij stak van wal:

BEATRICE: Ik ben doodmoe. Ik kan niet meer.

VERGILIUS: Ik ook niet. Zullen we dan maar gewoon luisteren?

BEATRICE: Waarnaar?

VERGILIUS: Naar de stilte, om te horen wat die te zeggen heeft.

BEATRICE: Goed.

(*Stilte.*)

VERGILIUS: Hoor je iets?

BEATRICE: Ja.

VERGILIUS: Wat dan?

BEATRICE: Stilte.

VERGILIUS: En wat zei de stilte?

BEATRICE: Niets.

VERGILIUS: Dan bof je. Ik hoorde mijn inwendige stem steeds zeggen: 'Ik luister naar de stilte in de hoop iets te horen.' En nog meer lawaaierige losse gedachten.

BEATRICE: O, die heb ik ook wel gehoord. In andere bewoordingen, maar het kwam op hetzelfde neer.

VERGILIUS: We moeten een poging doen tot echte stilte en ons hoofd leegmaken, wég met alle inwendige geluiden.

BEATRICE: Dat wil ik best proberen.

VERGILIUS: Eén, twee, drie – af.

(*Vergilius en Beatrice kijken recht voor zich uit, inwendig verstild.*

*Er verschijnt een hommel. Hij vliegt pal voor Vergilius en Beatrice langs. Ze volgen de luid zoemende vlucht, hun koppen draaien helemaal mee van links naar rechts, maar ze zeggen niets.*

*In een boom aan de linkerkant tjilpt luid een vogel. Vergilius en Beatrice kijken naar links, maar zeggen niets.*

*In de verte aan de rechterkant blaft een hond. Vergilius en Beatrice kijken naar rechts, maar zeggen niets.*

*Aan de linkerkant kwaakt een kikker. Ze kijken naar links, maar zeggen niets.*
*Aan de rechterkant klauteren twee eekhoorns een boom in, de ene zit de andere nijdig achterna. Ze kijken naar rechts, maar zeggen niets.*
*Links opeens vogelgekwetter. Ze kijken naar links, maar zeggen niets.*
*Hoog in de lucht de schreeuw van een havik. Ze kijken op, maar zeggen niets.*
*Er valt één enkel blad van de boom. Beide dieren volgen de dansende daling. Het blaadje valt op de grond.*)

VERGILIUS: Jemig, wat is het hier rumoerig!
BEATRICE: Het leidt erg af.
VERGILIUS: Zo kun je onmogelijk de stilte horen.
BEATRICE: Ben ik met je eens.
(*Stilte.*)
VERGILIUS: Als ik een hoop herrie maak, hoor je de stilte vast beter.
BEATRICE: Denk je?
VERGILIUS: Laten we het maar eens proberen. (*Vergilius staat op. Hij haalt diep adem. Het volgende roept hij zo hard hij kan.*) ALLEMAAL INSTAPPEN, ALLEMAAL INSTAPPEN! VLUG, VLUG, VLUG! TJOEKETJOEKE-TJOEKETJOEKE, ANDERS MIST U DE TREIN! TJOEKETJOEKE-TJOEKETJOEKE, VERGEET UW HAPJES EN DRANKJES NIET! ANDERS KRIJGT U HONGER! LET OP UW BAGAGE! TJOEKETJOEKE-TJOEKETJOEKE! U DAAR, WAAR GAAT U HEEN? STAP IN UW RIJTUIG. ALLEMAAL INSTAPPEN, ALLEMAAL INSTAPPEN, ZEG IK! LAATSTE WAARSCHUWING! TJOEKETJOEKE-TJOEKETJOEKE, DE TREIN GAAT VERTREKKEN, TJOEKETJOEKE-TJOEKETJOEKE! EEN

RIT OM NOOIT TE VERGETEN! TJOEKETJOEKE-TJOEKETJOEKE! MAAK U KLAAR VOOR VERTREK, MAAK U KLAAR VOOR VERTREK. (*Tegen Beatrice.*) Nou, heb je de stilte gehoord?

BEATRICE: Ja.

VERGILIUS: En?

BEATRICE: Het was of er ontelbare schaduwen op me neerdrukten.

VERGILIUS: Wat zeiden ze?

BEATRICE: Ze klaagden over het heengaan van hun onvoltooide leven.

VERGILIUS: In welke woorden?

BEATRICE: Die kon ik niet verstaan.

VERGILIUS: In welk opzicht waren die woorden anders dan een gewone stilte?

BEATRICE: Moeilijk te zeggen.

VERGILIUS: Hoe kunnen we ze citeren?

BEATRICE: Moeilijk in woorden weer te geven.

VERGILIUS: Wat kunnen we zeggen over wat zij hebben gezegd?

BEATRICE: Ik kan geen woord uitbrengen.

VERGILIUS: Als ik het zou lezen, wat zou ik dan lezen?

BEATRICE: Er komt niets uit mijn pen.

VERGILIUS: Dit werkt dus niet. We moeten het anders aanpakken.
(*Stilte.*)

‘Het gaat niet alleen om woorden, ziet u. Ook om geluid en stilte. En gebaren. Dit bijvoorbeeld. Vergilius en Beatrice hebben dit gebaar op hun lijst genoteerd.’

De taxidermist maakte met zijn rechterhand een gebaar voor zijn borst.

‘Ik heb een tekening gemaakt voor de acteur,’ vervolgde hij.

Hij hield de pagina boven het bureau omhoog. Het was een tekening in vier delen.

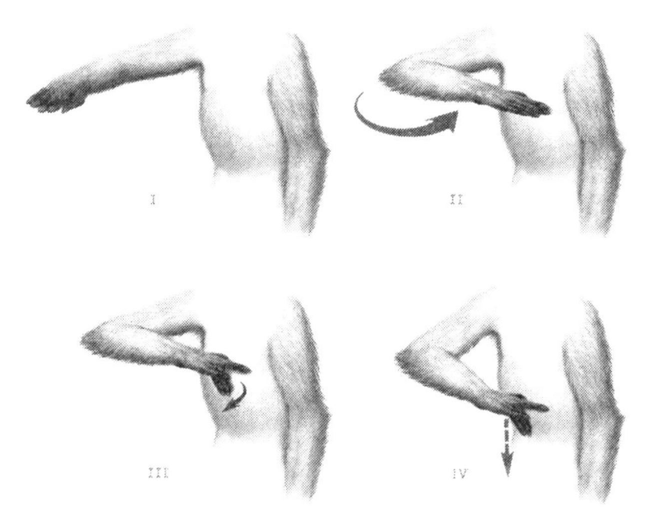


HANDGEBAAR VOOR VERSCHRIKKINGEN

Henry zag dat de armen heel harig waren. De taxidermist wilde kennelijk dat de spelers een speciaal kostuum droegen voor hun rol in deze onomkeerbare gruwel die de dieren was aangedaan. De hand werd voor de borst gebracht, twee vingers wezen omlaag en daarna zakte de hand. Waarom twee vingers, vroeg hij zich af.

'Woorden, stilte, geluid, personages, symbolen – dat zijn allemaal belangrijke elementen in een verhaal,' begon Henry. *Maar een plot is ook onmisbaar, net zo goed als actie*, had hij er graag aan toegevoegd, maar de taxidermist kapte hem af.

'Het wordt een lange lijst. Het is de kern waar het hele stuk omheen is gebouwd. Ik zal hem u voorlezen, de hele lijst in de versteldoos. Tegen het eind van het stuk somt Vergilius alles nog één keer op. Die lijst is mijn literaire meesterwerk.'

Henry had kunnen lachen om die bewering, maar de taxidermist was niet bepaald een man waar je mee of om kon lachen. Zijn uitstraling, de uitdrukking op zijn gezicht, doodde alle vrolijkheid.

De lijst bleek bij uitzondering eens niet tussen de papieren op zijn bureau te liggen, maar werd uit een la gehaald. De taxidermist begon te lezen:

> Een brul, een zwarte kat, woorden en sporadische stilte, een handgebaar, overhemden met maar één mouw, een gebed, een toespraak waarmee elke parlementaire zitting wordt geopend, een lied, een gerecht, een praalwagen, porseleinen gedenkschoenen voor de mensen, tennislessen, gemeensoortnamen, éénlangwoord, lijsten, holle vrolijkheid geuit in doodsnood, getuigenwoorden, rituelen en pelgrimages, particuliere en publieke daden van gerechtigheid en huldebetoon, een gezichtsuitdrukking, een tweede handgebaar, een staande uitdrukking, [*sic*]-drama's, Novolipkistraat 68, spelletjes voor Gustav, een tatoeage, een voorwerp bestemd voor een jaar, aukitz.

Het was een ratjetoe. Niet gelezen maar aangehoord, en dat slechts eenmaal: nog voordat hij de betekenis kon vatten verdwenen de woorden in de stilte. Henry onthield vrijwel niets en begreep nog minder. Hij wist niet goed hoe hij moest reageren, en dus hield hij zijn mond. Maar ook de taxidermist deed er het zwijgen toe.

'Dat laatste woord heb ik niet goed verstaan,' zei Henry ten slotte.

'Aukitz, a-u-k-i-t-z.'

'Zo te horen is het Duits, maar ik herken het woord niet.'

'Nee, dat is het niet. Het is een soort éénlangwoord.'

'Zo lang lijkt het me niet, zes letters maar.'

'Nee, daar gaat het niet om.'

De taxidermist draaide het vel papier om en wees naar een woord in het midden: éénlangwoord.

'Wat betekent dat?'

'Het is een idee van Beatrice.'

Hij zocht en vond:

BEATRICE: Ik weet iets.
VERGILIUS: En dat is?
BEATRICE: Een lang woord. Of liever gezegd: éénlangwoord, in één woord.
VERGILIUS: Welk woord pre…
BEATRICE: Sst!
VERGILIUS: (*fluistert geschrokken*) Wat is er?
BEATRICE: Ik dacht dat ik iets hoorde.
(*Stilte.*)
VERGILIUS: En?
BEATRICE: Niets.
VERGILIUS: Weet je het zeker?
BEATRICE: Nee.
VERGILIUS: Moeten we vluchten?
BEATRICE: Welke kant op?
VERGILIUS: Niet naar de kant waar het geluid vandaan kwam, de andere kant op.
BEATRICE: Ik weet niet goed waar het vandaan kwam.
VERGILIUS: We zijn omsingeld!
BEATRICE: Sst, stil!

'In de volgende scène denken ze dat hun schuilplaats is ontdekt, maar ze hebben het mis. Ze zijn nog veilig. Ze komen terug op éénlangwoord.'

BEATRICE: Vergilius?

*(Vergilius is in slaap gevallen. Hij tuimelt langzaam om tot hij tegen Beatrice aan leunt. Hij begint zachtjes te snurken.*

*Beatrice verroert zich niet en maakt geen geluid. Maar ze valt niet in slaap. In plaats daarvan kijkt ze om zich heen. Haar waakzaamheid heeft iets angstigs, maar de vredige stilte heeft een ontspannende uitwerking, zodat ze het omringende landschap peinzend nieuwsgierig in ogenschouw kan nemen.)*

BEATRICE: Wat een wonderbaarlijk uitzicht.

(*Stilte, op het gesnurk van Vergilius na.*)

VERGILIUS: (*schrikt wakker*) Wat? Wat zei ik?

BEATRICE: Dat weet ik niet. Ik was in slaap gevallen.

VERGILIUS: Echt waar?

BEATRICE: Echt waar.

VERGILIUS: Jij staat altijd te slapen.

BEATRICE: Heb je nog iets te melden van je wachtdienst?

VERGILIUS: (*gaapt, rekt zich uit en wrijft in zijn ogen*) Niets te melden.

BEATRICE: Gelukkig.

VERGILIUS: Waar waren we?

BEATRICE: Wat bedoel je?

VERGILIUS: Met ons gesprek. We waren aan het praten over hoe je over de Verschrikkingen kunt praten.

BEATRICE: Eénlangwoord.

VERGILIUS: O ja, in één woord. Wat bedoel je daar nu mee?

BEATRICE: Het moet een lang woord zijn dat, volgens afspraak, over de Verschrikkingen gaat.

VERGILIUS: Heb je een woord in gedachten?

BEATRICE: Doodzondewanthethadzomooikunnenzijn.

VERGILIUS: Prachtig. Ik zal er ook een maken.

BEATRICE: Laat maar horen.
VERGILIUS: Kwalebensruimanierlijk.

'Zeg dat nog eens,' zei Henry.

VERGILIUS: Kwalebensruimanierlijk.
BEATRICE: Niet zo makkelijk te volgen.

De taxidermist knikte om aan te geven dat Beatrice en Henry dezelfde mening hadden over het éénlangwoord van Vergilius.

VERGILIUS: Het is zoals jij al zei: een afspraak, een conventie. We spreken af dat een éénlangwoord over de Verschrikkingen gaat.
BEATRICE: Afgesproken.
VERGILIUS: Wacht, ik schrijf het op. (*Hij schrijft met zijn vingertop op de rug van Beatrice.*)

'Aukitz is een variatie op een éénlangwoord. Beatrice oppert om alle boeken, tijdschriften en kranten van dat woord te voorzien, op een opvallend of op een onopvallend plekje, afhankelijk van de wensen van de schrijver of de uitgever, om aan te geven dat uit de taal blijkt dat men af weet van de Verschrikkingen.'

'En de andere onderdelen op die lijst, de versteldoos voor het Overhemd, hebben hetzelfde doel: om ervoor te zorgen dat die kennis wordt doorgegeven?'

'Ja, precies.'

'Mag ik die lijst inkijken?'

De taxidermist aarzelde, maar gaf hem toen aan Henry.

'Dank u.' Henry zag kans alle uiterlijke tekenen van verbazing te onderdrukken. Hij kon het nauwelijks geloven. Hij was ervan overtuigd dat de taxidermist de tekst terug zou grissen voordat hij de tijd had gehad alles te lezen. Eindelijk kon hij de spraakwaterval van de taxidermist tot staan brengen en de woorden met eigen ogen bekijken, stil en onbeweeglijk, net als een van zijn opgezette dieren. De woorden waren op een schrijfmachine getypt, zodat het papier lichte indrukken vertoonde en aan de achterkant een brailleachtig reliëf was ontstaan.

De lijst vormde een lange kolom:

Versteldoos van Verschrikkingen

een brul,
een zwarte kat,
woorden en sporadische stilte,
een handgebaar,
overhemden met maar één mouw,
een gebed,
een toespraak waarmee elke parlementaire zitting wordt geopend,
een lied,
een gerecht,
een praalwagen,
porseleinen gedenkschoenen voor de mensen,
tennislessen,
gemeensoortnamen,
éénlangwoord,
lijsten,
holle vrolijkheid geuit in doodsnood,
getuigenwoorden,
rituelen en pelgrimages,
particuliere en publieke daden van gerechtigheid en huldebetoon,
een gezichtsuitdrukking,
een tweede handgebaar,
een staande uitdrukking,
[sic]-drama's,

```
Novolipkistraat 68,
spelletjes voor Gustav,
een tatoeage,
een voorwerp bestemd voor een jaar,
aukitz.
```

De punt achter het laatste woord had een gaatje in het papier gemaakt. De lijst had iets eigenaardig poëtisch, een antipoëzie van vreemde zaken en vreemde combinaties, van het vertrouwde en het onbekende. Henry's ogen bleven haken aan een onderdeel bijna onder aan de lijst: Novolipkistraat 68. Het adres kwam hem vaag bekend voor, maar hij kon het niet thuisbrengen. Hij las verder. Kennelijk was deze lijst heel belangrijk voor de taxidermist en werd er van Henry verwacht dat hij vragen zou stellen. Inwendig zuchtte hij echter. Een verhaal vertellen door middel van een líjst. Dat zou het publiek net zo dodelijk saai vinden als wanneer hij op het toneel uit het telefoonboek ging zitten voorlezen. Henry pikte er een willekeurig punt uit.

'Wat zijn "gemeensoortnamen"?' vroeg hij.

'Dat zijn woorden waar een oordeel uit spreekt dat door het woordenboek wordt bevestigd. Een idee van Beatrice. Dus: moordenaars, slachters, uitroeiers, folteraars, plunderaars, rovers, verkrachters, schennisplegers, bruten, lomperiken, monsters, duivels – dat soort woorden.'

'Aha.' Henry koos nog een woord uit de lijst. 'En die "staande uitdrukking"?'

De taxidermist zocht de scène op:

BEATRICE: Goed dan. En heb jij nog iets?
(*Vergilius begint weer te ijsberen.*)
VERGILIUS: Een uitdrukking.
BEATRICE: Zet je alweer een ander gezicht op? Straks verrek je het nog.

VERGILIUS: Ik bedoel een staande uitdrukking in de taal. Het middengedeelte van een groep mensen – of ze nu zitten of staan, of ze nu achter of naast elkaar een rij of een colonne vormen – zou bestempeld worden met de term 'in de Verschrikkingen'. Wat niet meteen negatief hoeft te worden opgevat. Per slot van rekening ben je in het midden van een rij het verst verwijderd van de gevaren aan het begin en einde. Als we dus naar het theater gaan en de plaatsaanwijzer zegt: 'In de Verschrikkingen hebt u het beste zicht op het toneel', of: 'Helaas, in de Verschrikkingen is geen plaats meer', dan weten we wat er wordt bedoeld, en dan denken we misschien aan wat er gebeurd is met anderen in andere omstandigheden die 'de Verschrikkingen' hebben meegemaakt. Zal ik doorgaan?

BEATRICE: Graag.

De taxidermist zweeg.

Henry knikte. 'En "[*sic*]-drama's"?'

'*Sic* is het Latijnse woord voor "aldus",' antwoordde de taxidermist. 'Het wordt gebruikt om aan te geven dat een onjuist origineel woordelijk is weergegeven of correct is gekopieerd.'

'Ja, ik weet wel hoe *sic* wordt gebruikt.'

'Vergilius is op het idee gekomen om korte stukken te schrijven waarin elk woord, maar dan ook elk woord, wordt aangeduid met *sic*, omdat in het licht van de Verschrikkingen elk woord nu onjuist is. Er is een Hongaarse auteur die enigszins op die manier schrijft.'

De taxidermist zocht de scène waarin Vergilius zijn [*sic*]-drama's presenteert niet op, en evenmin vertelde hij Henry welke Hongaarse schrijver hij bedoelde. Nee, hij deed er het zwijgen toe. Het was kennelijk pauze, om in toneeltermen te blijven. Henry besloot de gelegenheid waar te nemen en een nieuwe poging te wagen, maar ditmaal vanuit een andere hoek: niet vanuit het oogpunt van plot en handeling, maar van karakterontwikkeling. Misschien kon de taxidermist er zijn voordeel mee doen en bracht het hem ertoe iets over het ontstaan van het stuk te vertellen.

'Vertelt u eens, in hoeverre veranderen Beatrice en Vergilius in de loop van het stuk?' vroeg Henry.

'Veranderen? Waarom zouden ze moeten veranderen? Ze hebben geen reden om te veranderen. Ze hebben niets misdaan. Aan het eind van het stuk zijn ze nog precies zo als aan het begin.'

'Maar ze praten. Ze kijken om zich heen en worden zich van dingen bewust. Op rustige momenten denken ze na. Ze verzamelen van alles voor in de versteldoos. Daar veranderen ze toch van, of niet?'

'Geen sprake van,' antwoordde de taxidermist gedecideerd. 'Ze blijven hetzelfde. Als we ze de volgende dag hadden ontmoet, zouden we hebben gezegd dat ze niet anders waren dan de dag ervoor.'

Henry vroeg zich af wat zijn vriendin die lesgaf in creative writing op dat moment zou hebben gezegd. Hij had wel drie goede woorden gevonden, nog meer zelfs, maar er vloeide geen verhaal uit voort.

'Maar in een verhaal ondergaan de personages...'

'Dieren handhaven zich al vele, vele duizenden jaren. Ze hebben onvoorstelbaar ongunstige omstandigheden moeten verduren en ze hebben zich aangepast, maar dan wel op een manier die volkomen strookt met hun aard.'

'In het leven gaat dat op. Dat ben ik helemaal met u eens. Ik heb geen enkele twijfel ten aanzien van het organische mechanisme van de evolutie. Maar in een verhaal...'

'Wíj moeten veranderen, zij niet.' De taxidermist maakte een geagiteerde indruk.

'Dat ben ik met u eens. Zonder een gewetensvol milieubeheer is er geen toekomst. Maar in een verhaal... Kijk, neem Julianus in het verhaal van Flaubert dat u me stuurde. In de loop van...'

'Als Vergilius en Beatrice moeten veranderen op grond van de maatstaven van iemand anders, dan kunnen ze het net zo goed opgeven en uitsterven.'

En toen gaf Henry het op. 'Ja, ik begrijp wat u bedoelt,' zei hij om de taxidermist gunstig te stemmen.

'Zij veranderen niet. Vergilius en Beatrice zijn voor, tijdens en na hetzelfde.'

Henry wierp nogmaals een blik op de lijst.

'Waar is die Novolip...' wilde hij vragen om van onderwerp te veranderen, maar de taxidermist stak abrupt zijn hand op.

Henry zweeg. De taxidermist stond op en liep om het bureau heen. Henry werd een klein beetje bang.

'Er is maar één ding dat echt telt,' zei de taxidermist. Hij fluisterde bijna.

'En dat is?'

De taxidermist trok het vel papier langzaam uit Henry's hand. Henry liet het door zijn vingers glijden. De taxidermist legde het op het bureau.

'Dit,' zei hij.

Hij nam de lamp in de ene hand en streek met de andere tegen de vleug in door de vacht bij Vergilius' staartwortel.

'Dit hier,' zei hij.

Henry keek. Over de nu zichtbare huid liep een naad, een hechting, rondom de hele staartwortel. Paarsrood, medisch, afschuwelijk.

'De staart is afgehakt geweest,' zei de taxidermist. 'Ik heb hem er weer aan gezet.'

Henry staarde. De taxidermist zette de lamp weer op de werkbank en liep naar een tafel achter in de werkplaats. Henry raakte Vergilius' vacht aan, met de bedoeling die glad te strijken, maar in plaats daarvan duwde hij de haren terug om nogmaals te kijken. Hij wist niet waarom hij dat deed, maar hij keek en vervolgens voelde hij eraan. Er ging een huivering door hem heen. Hij trok zijn hand terug en klopte de vacht plat. Hij was ontdaan. Wat ontzettend wreed om dat te doen, om Vergilius' prachtige staart af te hakken. Wie deed er nu zoiets?

Henry vroeg zich af waarom de taxidermist niet verder vertelde over zijn toneelstuk. De man stond bij een tafel en was ergens mee in de weer. Had Henry hem onheus bejegend? Had hij niet genoeg begrip getoond voor zijn worsteling?

'Waarom laat u mij uw stuk niet lezen, tenminste, voor zover het af is?'

De taxidermist gaf geen antwoord.

Zou hij het idee hebben dat hij dan het dierbare project waaraan hij zijn hele leven had gewerkt prijsgaf, en dat hij dan nog maar een lege huls was, zonder geheimen, dat hij helemaal niets meer had? Was hij bang zijn diepste wezen te tonen? Bang voor de reactie van Henry en anderen? *Jaren gewerkt, en dit is alles wat het heeft opgeleverd?* Voelde hij aankomen dat zijn onderneming mislukte, om redenen die hij niet kon benoemen en zonder dat hij een oplossing zag? Henry besefte dat hij die vragen geen van alle kon beantwoorden, omdat hij geen idee had van het diepste wezen van de taxidermist. Ondanks het toneelstuk en hun gesprekken bleef de man een raadsel. Erger nog: een leegte.

'Ik zou...' begon Henry, maar hij maakte zijn zin niet af. Bij elk bezoek slokte de taxidermist wel heel erg veel van zijn tijd op. Hij stond op en liep naar de man toe.

Hij was bezig met een rode vos. Het dier lag op zijn rug en de taxidermist had al een incisie in de buik gemaakt, van de onderste ribben naar de staartwortel. Hij begon met zijn vingers en met het mes de huid los te maken. Met morbide belangstelling keek Henry toe. Voor het eerst zag hij van zo dichtbij een dier dat nog maar net dood was. De taxidermist trok de huid weg tot bij de staartwortel, die hij van binnenuit lossneed. Daarna begon hij aan de poten tot hij bij de kniegewrichten was, die hij doorsneed. Er vloeide weinig bloed. Er was vooral lichtroze – spierweefsel, vermoedde Henry – en strepen wit – vet – met slechts hier en daar kleine en grote plekken paarsrood. Henry had gedacht dat de taxidermist naar boven verder zou gaan en de buik tot de hals zou insnijden om de borstkas open te leggen en met de voorpoten te doen wat hij aan de onderkant al met de achterpoten had gedaan. In plaats daarvan begon de taxidermist de huid van het dier binnenstebuiten te keren en het lijf behoedzaam door de buiksnede te schuiven; al doende scheidde hij met het mes de huid van het lijf. Het was alsof het dier een trui werd uitgetrokken. Bij de voorpoten gekomen sneed hij die bij de schouders af, waarna hij verderging en de huid van de nek verwijderde. Op de kop maakte hij een snede op de plek waar de oren aan de schedel zaten. Daar bleven twee donkere gaten achter. De ogen boden een griezeliger aanblik. Terwijl de uitwendige vossenoren als een geheel met de huid waren verwijderd, bleven de ogen in de schedel zitten, en na het verwijderen van de oogleden staarden ze des te indringender. Behendig sneed de taxidermist het enige plekje bij de ogen door waar huid en lijf met elkaar verbonden waren: de traanbuisjes. Vervolgens werd de bek losgemaakt door met het mes de huid naast het tandvlees door te snijden. Ten slotte was de neus aan de beurt, het laatste punt dat nog vastzat; de zwarte huid werd afgestroopt, het kraakbeen doorgesneden. Hij bracht de huid in zijn natuurlijke vorm terug, binnenstebinnen, en daar lagen ze naast elkaar: de huid en het gevilde karkas, als een baby die ontdaan is van zijn rode pyjama, maar dan een baby met een felle blik in diepzwarte ogen en alle tanden en kiezen ontbloot.

'Dat heb ik voor u gedaan,' zei de taxidermist. 'Het wordt een opgezette kop. Ik heb alleen de kop nodig.'

Hij pakte een scalpel en maakte een kleine incisie onder aan de keel van de vos. Vervolgens knipte hij met een scherp schaartje – angstvallig alleen door de huid om de vacht te sparen – de schedelloze kop van de vos los. Hij keerde de kop weer binnenstebuiten, met oren en al. Plukkend met zijn vingers en schrapend met de zijkant van het mes ontdeed hij de huid van weefsel en vet.

'Die moet behandeld worden,' mompelde hij, en hij liep naar een plank met potten.

Henry staarde naar de kop. Het was een vossenkop, maar leeggehaald en binnenstebuiten gekeerd. Een snuit, een bek, ogen, grote oren, een hals – maar helemaal verkeerd, helemaal binnenstebuiten. Henry zag witte haartjes in de bek, waar een tong had moeten zitten, bij de incisie in de hals zag hij rode haren uitsteken. De rest was de gevilde kop, roze en rauw, van iets wat eens een wezen met bewustzijn was geweest. De oren waren weliswaar het opvallendst, maar uitdrukkingsloos. De ogen echter, of liever gezegd de oogleden, waren dicht, terwijl de open bek leek te schreeuwen. Hij keek weer naar de afgesneden hals, naar de rode vacht die eruit stak. *Een brandende ziel*, dacht hij. Opeens werd de vossenkop de kop van een wezen dat is verstard op het moment van grote doodsnood, onbedaarlijk sidderend, redeloos en hulpeloos. Henry werd door afgrijzen overmand.

De taxidermist kwam terug met een potje witte, vrij korrelige pasta. 'Borax,' zei hij zonder nadere verklaring.

Met zijn ene hand in de vossenkop en de andere in een rubberhandschoen begon hij de dierenkop met de pasta in te smeren en die er krachtig in te wrijven.

'Ik moet ervandoor,' zei Henry. 'Ik kom binnenkort nog wel eens langs.'

De taxidermist zei niets. Het was alsof Henry niet bestond. Henry draaide zich om, verliet de werkplaats, pakte Erasmus' riem en liep naar buiten, de namiddag in.

De weken die volgden behoorden tot de meest emotionele en chaotische die Henry ooit had meegemaakt.

Toneelgroep De Kas was een nieuw stuk aan het voorbereiden, waarin Henry zijn bescheiden top als acteur bereikte. Hij speelde de hoofdrol in *Nathan de Wijze* van Lessing.

Toneelgroep De Kas had de omgeving al ruim twintig jaar van kluchten voorzien, toen de komst van een nieuwe regisseur het gezelschap drastisch veranderde. Van de ene dag op de andere werd alles wat grof, goedkoop en conventioneel was in de ban gedaan. 'Waarom zouden we al het mooie materiaal aan de beroepsacteurs overlaten?' vroeg hij. 'Groot theater is er voor iedereen.' Die grootheid kwam tot uiting zowel in de mislukte poging als in het gelikte succes, redeneerde hij. Rampen konden dan ook niet uitblijven, en in het begin waren er zeker voorstellingen die voor de spelers leuker waren dan voor de toeschouwers. Maar wat kon het voor kwaad? Alle deelnemers deden het voor niets, louter om het simpele genoegen van creatief theatermaken.

De regisseur was een oude Servische immigrant – hij noemde zichzelf een Joegoslaaf – die werd bezield door een onwankelbaar geloof in de waardigheid en gelijkheid van iedereen, een positief overblijfsel van het communisme. Hij had een ideaal, en dat joeg hij na. Onfeilbaar wist hij in iemand die hij regisseerde de acteur te ontdekken, waarbij het er niet om ging de persoonlijkheid achter de rol uit te wissen, maar persoonlijkheid en rol te laten samenvallen, in balans te brengen. 'Maak je er niet druk om of je wel goed bent,' zei hij altijd tegen het ensemble. 'Authenticiteit, dat is het streven.' Bij het verdelen van de rollen was hij volstrekt leeftijdblind, kleurenblind, accentblind, figuurblind en, als het maar even kon, genderblind. Dit was theater van de mensen, door de mensen, voor de mensen. Zien was waarderen.

Onder zijn strenge maar rechtvaardige leiding steeg Toneelgroep De Kas in de achting van de wereld, dat wil zeggen in de achting van de stad. De veelgelezen uitkrant, een plaatselijk weekblad, had eens een artikel gewijd aan De Kas – 'Amateurisme op hoog niveau' – en de groep mocht zich geregeld verheugen in de aandacht van de regionale media. Men was het erover eens dat het een serieuze onderneming was en een boeiend, doorlopend sociologisch experiment. Door alle publiciteit waren er onder de vaste bezoekers tegenwoordig niet alleen veel studenten – zowel sociologie als culturele studies en literatuur – maar ook theaterliefhebbers en de onvermijdelijke familieleden en vrienden.

Al die ontwikkelingen dateerden van voor Henry's tijd: toen hij bij het ensemble kwam was Toneelgroep De Kas al een gevestigd instituut. Het was een van de redenen dat hij niet uit de stad weg wilde. Hij genoot ervan om samen met andere spelers in een kring op een kaal toneel te zitten en een script door te nemen. Het vertrouwen, de kameraadschap, het plezier!

Henry was zeer gespitst op de nieuwe productie. Maar hij vergat de taxidermist niet. Geregeld keerden zijn gedachten terug naar dieren en 'de onomkeerbare gruwel' die ze werd aangedaan en het drama dat de taxidermist daarover wilde maken.

Henry en Sarah hadden hun eigen redenen om stil te staan bij het lijden van dieren. Op een dag kwam Henry thuis en werd hij tot zijn verbazing niet begroet door hun poes, Mendelssohn. Zodra ze de deur hoorde opengaan verscheen ze normaal gesproken aan het eind van de gang, met haar staart in de vorm van een vraagteken opgestoken. Evenmin vertoonde zich een onstuimig snuffelende Erasmus. Sarah lag te slapen, en omdat de slaap van een zwangere vrouw heilig is, ging Henry zachtjes op zoek naar Mendelssohn. Hij keek onder de bank, waar de poes meestal haar toevlucht zocht. Daar was ze niet. Ten slotte wees een veeg bloed bij de boekenkast hem de weg. De poes had zich tussen de onderste plank en de vloer gewurmd. Henry klakte met zijn tong en fluisterde haar naam. Ze miauwde heel erg zwakjes. Toen ze tevoorschijn kwam droop haar neus van het bloed en ook haar rug zat onder; er zat een scheur in haar vel en de vacht was geklit, en ze kon niet goed op haar achterpoten staan. Omdat ze nooit buiten kwam, was er, afgezien van een bizar ongeluk, maar één mogelijke oorzaak van de verwondingen: Erasmus. Dat beantwoordde Henry's vraag of ze wel goed met elkaar zouden kunnen opschieten (maar het was toch al die tijd wel goed gegaan, en waarom ook niet?).

Het was Sarah en hem opgevallen dat Erasmus zich de laatste tijd een beetje vreemd gedroeg. Henry keek om en ontdekte Erasmus in de andere hoek van de kamer. Er was iets aan de hand met de hond, dat zag Henry meteen. Geen schuldgevoel omdat hij Mendelssohn had aangevallen, en ook geen angst bij het vooruitzicht op straf. Het was iets anders. Henry riep hem wel drie keer op vriendelijke toon. Erasmus vertikte het om te komen. Toen Henry naar hem toe ging, begon de hond te grommen. Omdat Henry vermoedde dat er iets mis was, trok hij een jas en dikke handschoenen aan om de hond te vangen. Erasmus verzette zich heftig, grauwend en blaffend zoals hij nog nooit had gedaan. Sarah werd gillend wakker. Henry schreeuwde dat ze in de slaapkamer moest blijven. Hij zag dat Erasmus krabben op zijn snuit had: Mendelssohn had zich verweerd. Toen Henry de hond in een handdoek had gewikkeld en in de houdgreep had genomen, riep hij Sarah erbij. Zij pakte de arme Mendelssohn en stopte haar in de reismand.

Henry ging per taxi met de twee dieren naar de dierenarts. Sarah had mee willen gaan, maar ze werden het erover eens dat zij beter thuis kon blijven, gezien haar zwangerschap en het vreemde gedrag van de hond.

Hoe hun hond, die toch ingeënt had moeten zijn, rabiës had opgelopen – want zo luidde de diagnose – was een vraag die de dierenarts noch het asiel waar ze hem vandaan hadden kon beantwoorden. In grote steden zijn allerlei wilde dieren met rabiës, kreeg hij te horen. Erger nog: de pest. Door goede sanitaire voorzieningen wordt echter voorkomen dat die ziektes zich verspreiden, en normaal gesproken gaan ze niet over op huisdieren. Het was mogelijk dat het vaccin niet goed had gewerkt. Henry vroeg zich af of Erasmus hondsdolheid kon hebben opgelopen bij de taxidermist. Hoewel het een bespottelijk idee was, bleef het door zijn hoofd spoken.

Mendelssohn had een gebroken rug en geperforeerde longen, onmiskenbaar doordat Erasmus haar had gebeten. Omdat ze zo veel pijn had, moesten ze haar laten inslapen. Er werd een voorpoot geschoren, en terwijl Henry haar vasthield op de tafel, prikte de dierenarts de naald in het kale plekje. De poes verzette zich niet. Ze was goed van vertrouwen. De dierenarts had het spuitje nog niet ingedrukt, of het licht in Mendelssohns ogen doofde en haar kop viel naar voren.

Erasmus kwam wreder aan zijn eind. De hond was zo buiten zinnen dat Henry hem moest loslaten in een grote afgesloten kist met een raampje. De precieze diagnose van de dierenarts kwam later, na een autopsie. De voorlopige diagnose, die het lot van Erasmus bezegelde, werd gesteld op grond van visuele waarnemingen door dat raampje. Eerst was Erasmus ontzettend onrustig: hij blafte en gromde, bonkte met zijn snuit tegen het raampje en hapte naar degenen die hem observeerden; zijn karakter was volkomen onherkenbaar, maar na een tijdje ging hij op de hem eigen manier opgerold liggen, al beefde en jammerde hij wel zachtjes. Toen het gas zacht begon te sissen kwam hij weer in actie. Hij sprong overeind, deed een laatste krankzinnige, agressieve uitval. Maar het gas werkte snel, zij het niet zo snel als de prik voor Mendelssohn, en hij viel om, met rollende ogen, schokkende poten en het schuim op de bek. Toen Henry hem uiteindelijk weer mocht vasthouden was Erasmus zo stijf als een plank.

Bij de dierenarts wist Henry zich nog goed te houden. Hij was alleen en onder vreemden, het stellen van een diagnose verliep volgens een bepaald protocol, er moesten beslissingen worden genomen en de rekening moest worden betaald. Op de terugweg in de taxi staarde hij als verdoofd naar buiten. Maar hij stortte in toen hij de trap op liep naar hun flat, de leegte voelde bij zijn voeten waar anders een hond zou zijn geweest en de leegte in zijn rechterhand waarmee hij anders de riem zou hebben vastgehouden. Pas na enkele lange minuten zag hij kans de sleutel in het slot te steken en naar binnen te gaan. Hij zag ertegen op om Sarah te moeten vertellen wat er was gebeurd. Ze droeg nieuw leven in zich, en het leven was dan ook een gevoelig punt voor haar: ze maakte zich zorgen om het leven.

Sarah stond hem met wijd open ogen en vol angstige spanning op te wachten in de gang, precies op de plek waar Mendelssohn altijd had gestaan. Maar hij hoefde niets te zeggen. Ze zag meteen de leegte die hij bij zich had, de dramatische afwezigheid van leven.

Ze barstten allebei in tranen uit. Ze was doodmoe teruggekomen van een bezoek aan een vriendin, snikte ze, en was regelrecht naar bed gegaan. Voor ze wist wat er gebeurde was Erasmus heftig aan het blaffen en schreeuwde Henry dat ze in de slaapkamer moest blijven. Bij thuiskomst was haar niets bijzonders aan de dieren opgevallen, maar ze had eigenlijk geen aandacht aan ze geschonken. Ze wist niet eens meer of ze Mendelssohn wel gezien had. Ze was bekaf geweest, ze wilde haar dutje gaan doen, verder niet. Misschien was Mendelssohn toen nog niet door Erasmus aangevallen. Ze verweet zichzelf dat ze niet naar de poes had omgekeken. Henry verweet zichzelf dat hij geen notitie had genomen van de karakterverandering bij Erasmus, een kribbigheid die nieuw voor hem was geweest.

Daar kwam nog bij dat ze bang waren dat ze zelf de ziekte hadden opgelopen. Sarah was als de dood de baby te verliezen, maar Henry had de verzorging van de dieren grotendeels voor zijn rekening genomen, en Sarah wist zeker dat ze niet door Erasmus of Mendelssohn was gebeten, niet eens gekrabd. Henry was ervan overtuigd dat hetzelfde voor hem gold, maar omdat hij ze tijdens hun laatste uren had aangeraakt kreeg hij toch een vaccinatiekuur tegen hondsdolheid.

Op een avond kwam een van de andere acteurs voor het begin van de repetitie naar hem toe.

'Henry,' zei hij, 'ik wist niet dat je een beroemde schrijver was. Ik dacht dat je gewoon een ober in een café was.'

Hij zei het op schertsende toon, die populaire jurist, acteur en vriend, maar Henry merkte wel dat hij het serieus bedoelde. *Wie ben jij?* vroeg hij eigenlijk. *Waar sta jij in de maatschappij? Ik dacht dat ik je kende, maar het ligt dus anders.* Klonk er iets van wrevel in zijn stem? Moest Henry voortaan anders worden bejegend? Had Henry er verkeerd aan gedaan een deel van zijn identiteit verborgen te houden?

'De vorige keer heeft er iemand naar je gevraagd,' vervolgde de jurist. 'Je was al weg. Hij zei dat hij je kende en gaf een uitgebreide beschrijving van je, maar met de verkeerde naam erbij. Uiteindelijk liet hij me die foto uit de krant zien.'

De week daarvoor had er een stukje in de plaatselijke krant gestaan met een foto van een repetitie erbij. Ondanks de schmink en het kostuum, en hoewel zijn naam er niet bij stond, was Henry duidelijk herkenbaar.

Henry begon een vermoeden te krijgen. 'Hoe heette hij? Was het een oudere man, lang, heel ernstig?'

'Hij wilde niet zeggen hoe hij heette. Maar de rest klopt. Zo somber als een doodbidder. Ken je hem?'

'Ja, ik ken hem.'

'Hij had iets voor je, kijk,' zei de jurist, en hij gaf Henry een envelop.

De envelop bevestigde dat het inderdaad de taxidermist was geweest. Waarom had hij niet willen zeggen hoe hij heette? Henry verwonderde zich over de achterdocht en de geheimzinnigheid van de man. Hij had er nooit aan gedacht dat de taxidermist niet wist hoe hij echt heette. De keren dat ze elkaar hadden ontmoet waren ze met z'n tweeën geweest en hadden ze geen al dan niet gefingeerde namen hoeven te gebruiken.

In de envelop zat weer een scène uit het toneelstuk van de taxidermist.

BEATRICE: Ik heb genoeg van lijstjes.

VERGILIUS: Ik ook.

(*Beatrice zucht, legt haar kop neer en valt in slaap. Vergilius dwaalt wat rond. In de struiken vindt hij een grote lap stof, effen felrood. Een tafelkleed? Afkomstig van een rol? Vergilius raapt de lap op en speelt ermee. Hij zwaait hem in het rond. Gooit hem op en kijkt toe terwijl hij neerwarrelt. Slaat hem om zich heen. Daarna laat hij zich achterovervallen en begint ermee te worstelen: de rode lap stof ligt boven op hem, hijzelf ligt op zijn rug op de grond. Opeens houdt hij op om zich tot het publiek te wenden.*)

VERGILIUS: Er ligt iemand op sterven, en terwijl ze stervende zijn pakken ze de rode stof van het lijden en trekken en rukken eraan, en nog nooit in hun leven zijn ze emotioneel zo volledig in iets opgegaan of verstandelijk zo overdonderd door zekerheid – 'Ik ga dood, ik ga dood!' – en daardoor wordt de stof het enige wat ze zien en voelen, de stof bedekt de muren en het plafond van hun kamer of, als ze in de openlucht sterven, de gehele hemelkoepel, maar de rode lap stof van het lijden komt allengs dichterbij en hecht zich aan hun lichaam als een kledingstuk, maar dan strakker, hecht zich vervolgens als een lijkwade, maar dan strakker, hecht zich vervolgens als lijkwindsels, maar dan strakker, tot de stervenden door de rode stof worden gesmoord en de laatste adem uitblazen, en op dat moment verdwijnt de stof als bij toverslag, waarna er nog slechts een lichaam rest, omringd door mensen bij wie het leven zo door de aderen stuwt dat ze de stof onmogelijk kunnen zien, en het leven gaat door, triomfantelijk zou men kunnen zeggen, tot de dag dat de rode stof jouw gezichtsveld binnen warrelt en je beseft dat de lap jouw kant op komt, en dan vraag je je vol ongeloof af hoe het komt dat je hem niet hebt zien aankomen, dat je hem hebt genegeerd, maar je overpeinzingen worden afgekapt want je bent al achterovergevallen en worstelt met de rode stof van het lijden, je trekt en rukt eraan.

(*Hij worstelt met de rode lap stof.*)

BEATRICE: (*wordt wakker*) Wat doe jij nou?

VERGILIUS: (*houdt meteen op*) Niks. Ik ben deze lap aan het opvouwen.

(*Hij vouwt de stof tot een keurig pakketje en legt dat neer.*)

BEATRICE: Waar heb je die gevonden?

VERGILIUS: (*wijst*) Daar.

BEATRICE: Hoe zou hij daar terechtgekomen zijn?

VERGILIUS: Geen idee.

(*Stilte.*)

VERGILIUS: Een beetje vrolijkheid zou ons goeddoen.

BEATRICE: Zeker.

VERGILIUS: Iets grappigs.

BEATRICE: Iets heel grappigs.
VERGILIUS: Maar geen holle vrolijkheid.
BEATRICE: Nee.
VERGILIUS: Maar beter holle vrolijkheid dan helemaal geen vrolijkheid.
BEATRICE: Dat ben ik niet met je eens. De tegenstelling tussen wanhoop en holle vrolijkheid maakt de wanhoop des te groter.
VERGILIUS: Maar als holle vrolijkheid wordt geuit in doodsnood is dat misschien wel zo ironisch dat een mens de wanhoop ontstijgt en echt vrolijk wordt? Op dat kritieke ogenblik is holle vrolijkheid misschien wel de eerste sport op de filosofische ladder die leidt naar volledige kosmische verwezenlijking?
BEATRICE: Héél misschien.
VERGILIUS: Zullen we het proberen? Zullen we afspreken dat we in holle vrolijkheid losbarsten als we echt wanhopig zijn, als laatste redmiddel?
BEATRICE: We kunnen het proberen.
VERGILIUS: Maar zijn we op dit moment echt wanhopig?
BEATRICE: (*met een zweem van vrolijkheid*) Nee hoor.
VERGILIUS: (*vrolijk*) Eén sport hoger! Dat schrijf ik op. (*Hij schrijft met zijn vingertop op haar rug.*)

Henry las de monoloog van Vergilius nogmaals door. Het was één lange zin. Hij kon zich voorstellen dat een acteur er helemaal in opging, dat de energie zich geleidelijk aan opbouwde. De verschuiving van de persoonlijke voornaamwoorden miste zijn uitwerking niet: van 'iemand' en 'ze' naar 'je', met als kantelpunt 'men' in het ironische 'het leven gaat door, triomfantelijk zou men kunnen zeggen'. Hij herinnerde zich het 'holle vrolijkheid geuit in doodsnood' uit de versteldoos. Bij de scène was een getypt briefje gevoegd, in de kenmerkende laconieke stijl van de taxidermist:

```
Er zit geen verhaal in mijn verhaal.
Het berust op een onbetwistbare moord.
```

Geen aanhef of afsluiting. Henry probeerde te bedenken waarom de taxidermist hem juist deze scène met dit briefje had gestuurd. De rode stof van het lijden – was dat een teken van de angst van de taxidermist zelf? En die holle vrolijkheid – was dat een signaal dat hij hulp nodig had, dat hij zelf in doodsnood verkeerde? Henry besloot binnenkort weer eens naar hem toe te gaan.

Toen Henry's 'geheime identiteit' eenmaal bekend was, veranderde er iets in de omgang met de andere amateurspelers. Hoewel Henry nog precies dezelfde was als bij de laatste repetitie, merkte hij dat hij met andere ogen bekeken werd. Tijdens gesprekken werd hij misschien minder vaak onderbroken, maar hij werd er ook minder vaak bij betrokken. De regisseur deed nu eens te streng, dan weer te aardig tegen hem. Daar kon hij allemaal wel mee omgaan. De tijd en nieuw wederzijds vertrouwen zouden het evenwicht wel herstellen. Maar zo vlak voor een première bracht het enige spanning met zich mee.

Zijn muziekleraar wist het al. Tijdens gesprekken voor en na de lessen was het uitgekomen. Zijn leraar had zich lachend voor het hoofd geslagen. Hij had Henry's beroemde boek van zijn dochter gekregen en het gelezen. Hij was trots op Henry, dat was leuk, en tijdens de lessen deed hij precies zo als daarvoor, alleen gebruikte hij andere vergelijkingen. Niet meer zoiets tams als een os. Henry's klarinet was nu een wild dier dat getemd moest worden.

*Nathan de Wijze* ging in première met het gebruikelijke kunst- en vliegwerk, met de gebruikelijk zenuwen, met de gebruikelijke missers, allemaal aanvaard en vergeven in naam van de 'authenticiteit'. Het stuk werd twee achtereenvolgende weken van donderdag tot en met zondag opgevoerd, en het ging goed, hoewel je dat eigenlijk niet kunt weten over een stuk waarin je meespeelt en dat je dus niet zelf ziet. De plaatselijke pers was in elk geval positief.

En toen braken de vliezen. Sarah hees zich moeizaam in horizontale stand. Niet lang daarna werd ze geteisterd door weeën. Ze gingen naar het ziekenhuis. In de vierentwintig uur die volgden verwerd ze tot een vies dier, en na veel gehijg, gejammer en gegil produceerde ze een pond vlees – om een shakespeariaanse uitdrukking te gebruiken – dat er rood, rimpelig en slijmerig uitzag. Als zij met z'n tweeën in een modderig hok hadden zitten knorren zou het er niet dierlijker aan toe zijn gegaan. Het zwakjes bewegende voortbrengsel hield het midden tussen een aap en een alien. Niettemin werd er sterker dan ooit tevoren een beroep gedaan op Henry's menselijkheid. Hij kon zijn ogen niet van de baby afhouden. Mijn zoon, mijn zoon Theo, dacht Henry verbijsterd.

Tussen de bedrijven door – de dood van Erasmus en Mendelssohn, de opvoering van *Nathan de Wijze* en de geboorte van Theo – dacht Henry toch nog wel eens aan de taxidermist en diens toneelstuk. De creatieve worsteling van de man gaf hem nieuwe moed. Hoewel hun omstandigheden als schrijver niet te vergelijken waren, zag Henry in hem een Hephaestus die net als hij in de smidse zwoegde.

En er was nog een reden dat Henry aan de taxidermist moest denken, want op een nacht werden zijn bange vermoedens omtrent het echte onderwerp van het toneelstuk bevestigd.

Het gebeurde midden in de nacht, een nacht die telkens was onderbroken doordat Theo huilde, want zo ging dat tegenwoordig. Ongetwijfeld speelde ook een rol dat alles ontregeld was door de intense droefheid, spanning en vreugde van de afgelopen weken. Wat de psychologische verklaring ook was, Henry sliep zoals iemand slaapt die chronisch slaap tekortkomt, toen de naam hem te binnen schoot. Dat gebeurde zo abrupt dat de naam een gat in zijn slaap sloeg en hij met een ruk overeind kwam, klaarwakker, en uitriep: 'Emmanuel Ringelblum!'

Hij strompelde naar de computer en keek half verdoofd van vermoeidheid het essay voor zijn oude flipbook door. Hij vond wel de verwijzing naar Ringelblum, maar niet het adres. Daarna zocht hij in zijn researchdocumenten, die ook op de computer stonden. Daar vond hij, gedetailleerder, wat hij over Ringelblum had geschreven, maar ook daar had hij het adres niet genoteerd. Ten slotte vond hij het waar hij zijn zoektocht had moeten beginnen, op internet – met recht een net, dat verder kan worden uitgegooid dan het oog reikt en kan worden opgehaald hoe zwaar de buit ook is, want het magische net bezwijkt niet onder het gewicht maar bevat altijd een verbazingwekkende vangst. Hij tikte 'Novolipkistraat 68' in bij een zoekmachine, en in zeven tienden van een seconde had hij het antwoord.

De volgende dag al ging hij – ongeschoren, verfomfaaid, uitgeput, ogend als een dakloze – weer naar Okapi Taxidermie. Hij had alles bij zich wat hij van het toneelstuk van de taxidermist bezat, niet veel dus, alleen de scène over de peer, de scène over de brul van Vergilius die Henry had geschreven en de scène over de rode stof van het lijden en de holle vrolijkheid, die de taxidermist bij het theater had afgegeven. Henry wist niet waarom hij ze meenam. Misschien was hij vaag van plan alles op tafel te leggen en helemaal overnieuw te beginnen.

Toen hij vlak bij de winkel was dacht Henry nog eens na over het briefje van de taxidermist.

Er zit geen verhaal in mijn verhaal.
Het berust op een onbetwistbare moord.

De moord op wie?

Net als de eerste keer was de okapi weer een aangename verrassing. Henry opende de winkeldeur en hoorde het bekende geklingel. De wonderbaarlijke holle ruimte met dieren ontvouwde zich. Bij de gedachte aan Erasmus en Mendelssohn kreeg Henry een brok in de keel en schoten de tranen hem in de ogen. Hij besefte dat hij geen moment had overwogen ze te laten opzetten. Na een laatste blik en een laatste aai had hij zich neergelegd bij hun lijfelijke verdwijning.

De taxidermist verscheen prompt, zoals gewoonlijk. Hij bleef stokstijf staan, keek Henry indringend aan en verdween toen zonder een woord te zeggen weer in zijn werkplaats. Henry staarde vol ongeloof naar de ruimte die de taxidermist net nog had ingenomen. Meer dan een kennis was de man niet. Weliswaar hadden ze gesproken over zijn creatieve verrichtingen, vrij uitgebreid zelfs, maar wilde dat zeggen dat de elementaire omgangsvormen niet meer golden? Nu Henry de intimiteit van zijn toneelstuk deelde, was hij in de ogen van de taxidermist misschien een soort familielid geworden, dat bejegend kon worden met de bruuskheid die we voor onze naasten bewaren. Henry besloot wijselijk om het optreden van de taxidermist in dat licht te bezien. Hij was moe, maar zijn status als prille vader sterkte hem en zijn gedachten aan Erasmus en Mendelssohn van daarnet stemden hem mild. Henry was niet in de stemming voor wrijving. Hij haalde diep adem en ging de werkplaats binnen.

De taxidermist zat aan zijn bureau naar zijn rommelige paperassen te kijken. Henry ging net als anders op de kruk zitten.

'Wat is uw echte naam nu? Wat houdt u nog meer verborgen?' vroeg de taxidermist nors en zonder op te kijken.

Henry antwoordde zachtjes. 'Ik heet Henry L'Hôte. Ik schrijf onder pseudoniem. Neem me niet kwalijk dat ik een tijdje niet langs ben geweest. Ik heb het erg druk gehad. Mijn zoon is geboren. En Erasmus, mijn hond, weet u nog wel? Die hebben we moeten laten inslapen.'

Vreemd, dacht Henry, nu zit ik me te verontschuldigen voor de geboorte van mijn zoon en de dood van mijn hond. De taxidermist reageerde niet. Zou hij boos of gekwetst zijn? Dat kon Henry niet uitmaken. Wel wist hij dat geen van beide gerechtvaardigd was. Hij was de taxidermist niets verplicht. Maar hij had geluk gehad als kunstenaar, de taxidermist niet. Die broedde op een stuk dat maar niet wilde lukken, terwijl Henry net vader was geworden en goed kon leven van een roman die wel was gelukt. Wat schoot hij ermee op als hij zich liet krenken door een ongelukkige oude man?

Henry nam weer het woord. 'In uw versteldoos van de Verschrikkingen heeft u "Novolipkistraat 68" staan. Waar is dat?'

'Dat is een denkbeeldig adres waar alle sporen van de Verschrikkingen worden opgeslagen en bewaard, alle herinneringen, verslagen en geschiedenissen, alle foto's en films, alle gedichten en romans, alles. Die zouden allemaal te vinden zijn op Novolipkistraat 68.'

'En waar is Novolipkistraat 68?'

'In een hoekje van ieders gedachten en op een gedenksteen in iedere stad. Het is een symbool, een idee van Beatrice.'

'Waarom Novolipki? Vanwaar dat vreemde woord?'

'Beatrice had hoofdpijn en dacht: kon ik maar iets innemen, had ik 'n pil, o vond ik er maar een, en dat heeft ze een beetje ingekort en achterstevoren gezet.'

'En waarom nu juist nummer 68 in die zogenaamde Ik-pil-o-von-straat?'

'Zomaar. Ik heb een willekeurig nummer gekozen.'

De taxidermist draaide. Novolipkistraat was, en is, een straat in Warschau, en Novolipkistraat 68 is het adres waar na de Tweede Wereldoorlog tien blikken en twee melkbussen boordevol documenten zijn gevonden. Het archiefmateriaal was van een grote verscheidenheid: studies, getuigenissen, kaarten, foto's, tekeningen, aquarellen en knipsels uit illegale bladen, en ook officiële documenten zoals verordeningen, affiches, distributiekaarten, identiteitspapieren en dergelijke. Die uitgebreide documentatie bleek een kroniek te zijn van alle aspecten van het leven en de geplande dood in het getto van Warschau, van 1940 tot de vernietiging in 1943, na de opstand. Het materiaal was verzameld door een groep geschiedkundigen, economen, artsen, wetenschappers, rabbi's, maatschappelijk werkers en anderen, onder leiding van de historicus Emmanuel Ringelblum. De groep had de codenaam Oneg Shabbat gekozen, Hebreeuws voor 'Vreugde van de sabbat', omdat ze meestal op zaterdag bijeenkwamen. De overgrote meerderheid is omgekomen in het getto of tijdens en na de vernietiging daarvan.

Toen dat adres en die van wanhoop getuigende tijdcapsules Henry eenmaal te binnen waren schoten, wist hij zeker waar de taxidermist mee bezig was. Dit was het onweerlegbare bewijs dat hij de Holocaust gebruikte om zich uit te spreken over de uitroeiing van dierlijk leven. Gedoemde dieren die niet voor zichzelf konden opkomen kregen de stem van een verbaal hoogbegaafd volk dat op dezelfde manier gedoemd was. Hij bekeek het tragische lot van dieren aan de hand van het tragische lot van de joden. De Holocaust als allegorie. Vandaar dat Vergilius en Beatrice altijd honger hadden, bang waren en niet konden besluiten waar ze heen zouden gaan of wat ze moesten doen. En toen Henry zich de tekening voor de geest haalde die de taxidermist hem had laten zien, die met het handgebaar tijdens de Verschrikkingen, zag hij opeens niet alleen wat Vergilius met zijn vingers deed terwijl hij zijn hand recht voor zijn borst hield, maar ook de beginstand van de arm: die leek immers wel heel erg op de Hitlergroet?

Het lot had Henry in contact gebracht met een schrijver – nou ja, iemand met schrijversambities – die precies deed waarvoor Henry drie jaar terug had gepleit in zijn afgewezen boek:

hij presenteerde de Holocaust op een afwijkende manier.

'Kunt u me nog een scène uit uw stuk voorlezen? Laten we daar maar eens mee beginnen,' zei Henry.

De taxidermist knikte maar zei niets. Hij pakte een bundeltje papieren en schraapte zijn keel. Met zijn afgemeten stem begon hij:

BEATRICE: Ik heb je nog nooit verteld wat mij is overkomen, hè?

VERGILIUS: Wat? Wanneer?

BEATRICE: Toen ik werd gearresteerd.

VERGILIUS: (*onbehaaglijk*) Nee, dat heb je niet verteld. Ik heb ook nooit iets gevraagd.

BEATRICE: Wil je het horen?

VERGILIUS: Alleen als jij wilt dat ik het hoor.

BEATRICE: Ik moet het toch een keer aan iemand vertellen, om te voorkomen dat die belevenis verdwijnt zonder dat hij onder woorden is gebracht. En aan wie moet ik het anders vertellen?

(*Stilte.*)

BEATRICE: Ik herinner me de eerste klap, op het moment dat ik binnen werd gebracht. Toen al is er iets voorgoed verloren gegaan, een basisvertrouwen. Als een man uit een prachtige verzameling Meissenporselein een kopje pakt en dat moedwillig aan scherven gooit, waarom zou hij dan de rest ook niet kapotgooien? Als die man zijn onverschilligheid tegenover porselein eenmaal heeft gedemonstreerd, wat maakt het dan nog uit, een kopje of een terrine? Die eerste klap heeft in mij iets kapotgemaakt dat even kwetsbaar was als porselein. Het was een harde klap, krachtig maar achteloos, zonder enige aanleiding, nog voordat ik me had

geïdentificeerd. Als ze me dat aandeden, waarom zouden ze dan niet ook iets ergers doen? Sterker nog, hoe zouden ze zich kunnen beheersen? Eén klap is een stipje zonder betekenis. Er is een lijn nodig, een verbinding tussen de stipjes die doel en richting geeft. Die eerste klap vraagt om een tweede en daarna om een derde en zo verder.
Ik werd meegenomen door een gang. Ik dacht dat ik naar een cel werd gebracht. Alle deuren aan die gang waren dicht, op één na, waar een trapezium licht op de grond viel. 'We zijn er,' zei een jongeman naast me op nonchalante toon, alsof we in een bus zaten die bij de halte stopte. Hij had zijn jasje al uitgetrokken en was bezig zijn mouwen op te rollen. Het was een lange man, vel over been. Er waren nog twee mannen. Die volgden zijn bevelen op. Ik werd een eenvoudig, goedverlicht vertrek binnen gebracht, met in het midden een badkuip. Het bad stond vol water. Zonder plichtplegingen duwden ze me erheen, met mijn lijf haaks tegen de rand, en ze dwongen me op mijn knieën. Ze stopten mijn kop onder water en hielden hem daar. Maar gemakkelijk hadden ze het niet. Ik heb een sterke nek, en ze moesten met z'n drieën mijn kop omlaaghouden, vooral omdat ik ze telkens met mijn schouders opzijschoof. Ze bedachten er iets op: ik moest weer rechtop staan, en ze bonden mijn voorpoten aan elkaar, ze bonden mijn achterpoten aan elkaar, ze zetten me met mijn flank tegen de badkuip en duwden me erin. Mijn poten staken omhoog, ik belandde met een plons op mijn rug en sloeg met mijn kop tegen de rand van het bad. Ze lieten nog meer

water in de kuip lopen. Het water was koud, maar daar merkte ik algauw niets meer van. Ik verzette me, maar nu hadden ze het gemakkelijk. De ene man hield mijn achterpoten omhoog, de andere mijn voorpoten en de derde kon ongehinderd mijn kop weer onder water duwen. Verdrinken als je rechtop staat, stevig op je vier poten, met je kop in een houding alsof je drinkt, is één ding. Dat is domweg verdrinken: verschrikkelijk, maar het klopt tenminste met je gevoel voor zwaartekracht en het past bij de voorkeurstand van je kop. Tot op zekere hoogte heb je zeggenschap over wanneer je water inademt. Maar als je op je rug ligt terwijl iemand met zijn vlakke hand tegen je kaak je kop achterover onder water duwt, dan loopt het water meteen je neus in en krijg je meteen het gevoel dat je verdrinkt. Je nek doet vreselijk zeer, want je probeert in je wanhoop om je kop op te tillen. Elke poging tot slikken is als een messteek in je keel. De paniek, de doodsangst... Ik had zoiets nog nooit meegemaakt. Telkens als ze mijn kop even boven water hielden begon ik te hoesten en te proesten, maar voordat ik goed kon inademen duwden ze mijn kop alweer terug. Hoe meer ik me verzette, hoe langer ze me vasthielden. Algauw ademde ik water in, en opeens begon ik te verslappen. *Dit is de dood*, dacht ik, en op dat moment hielden ze op – heel uitgekiend. Ze hesen me uit de kuip en gooiden me op de grond. Ik hoestte en gaf water op, en daar lag ik. Ik dacht dat mijn beproevingen voorbij waren.

Ze waren nog maar net begonnen. Mijn voorpoten werden losgemaakt. Ze sloegen en schopten en trokken net zo lang aan mijn staart tot ik weer overeind stond. Mijn achterpoten zaten nog vastgebonden. Ze grepen me bij mijn manen en dirigeerden me naar het vertrek ernaast. Ik strompelde mee, zo goed en zo kwaad als het ging. Ik werd in een soort box gezet en vastgebonden in een tuig dat onder mijn borst doorliep en de voorkant van mijn lijf omhooghield. Mijn voorpoten stonden op een ruwe vlonder van uitgebeten hout. Een van de mannen nam mijn kop in de houdgreep, een andere schopte van achteren tegen mijn linkerknie en tilde die poot van de grond, alsof hij een smid was die mijn hoef wilde inspecteren. Maar hij hield mijn poot alleen maar omhoog. Daarna knielde de jonge man vlak bij mijn rechterpoot en hij sloeg snel een lange spijker in de poot die op de grond stond. Hij begon vlak boven de rand van de hoef, onder een schuine hoek om de spijker er diep in te kunnen slaan, en hij timmerde mijn poot stevig aan de vlonder. Ik zie het nog: de hamer die op en neer ging, de arm en het achterhoofd van die man, het rondje van zijn kruin. Bij elke hamerslag ging er een schok door mijn hele lijf. Rond mijn poot vormde zich een plas bloed. De drie mannen lieten me los en verdwenen achter me. Ze grepen mijn staart. Ik begon te sidderen toen zes onvriendelijke handen me zo beetpakten. Ze begonnen uit alle macht aan mijn staart te trekken: een krachtmeting tussen mijn staart en mijn hoef.

Ik balkte en bokte en probeerde te schoppen. Maar één voorpoot zat aan de grond vastgespijkerd en mijn achterpoten waren aaneengebonden: ze konden me met gemak aan. Ik had maar één voorpoot vrij. Ze bleven maar trekken. Gedurende die seconden van opperste pijn kantelde ik van doodsangst naar doodswens, een verlangen dat alles oversteeg. Ik was het liefst als een rat het donker in gerend om ervan af te zijn. Ik raakte bewusteloos.

Het is heel moeilijk om erover te praten. Het deed zeer, het was pijnlijk, meer valt er eigenlijk niet over te zeggen. Maar om het te vóelen! We deinzen al terug voor het vlammetje van een lucifer, en ik bevond me midden in een laaiend vuur. En nog was het niet voorbij. Toen ik bijkwam zag ik dat mijn hoef het had begeven. Hij was helemaal afgescheurd. Ik dacht dat meer pijn onmogelijk was, dat het niet erger kon worden na wat ik al had moeten verduren. Maar het kon wel erger. Ze hielden mijn kop scheef en goten kokend water in mijn rechteroor. Ze staken een koude ijzeren staaf in mijn anus en lieten hem daar zitten om mijn ingewanden koud te maken. Ze schopten me herhaaldelijk in mijn buik en tegen mijn geslachtsdelen. Dat ging een paar uur zo door, maar ze namen geregeld pauze om een sigaret op te steken, terwijl ik hulpeloos in dat tuig hing; nu eens lieten ze me alleen met de deur naar de gang open, dan weer bleven ze bij me staan maar deden alsof ik er niet was. Ik ben een paar keer bewusteloos geraakt.

Ze beschimpten me herhaaldelijk, al kan ik niet zeggen dat ze echt kwaad of opgewonden waren. Ze deden gewoon hun werk. Toen ze moe werden, werkten ze in stilte.

Eind van de middag was het voorbij, om een uur of vijf, toen hun werkdag erop zat, vermoed ik. Huis en haard lokten. Ze maakten me los uit het tuig en gooiden me in een kleine cel. Na twee dagen en nachten van eenzame opsluiting, gekweld door pijn en honger, werd ik vrijgelaten. Ze zetten de deur van mijn cel open, sjorden me overeind en loodsten me naar buiten tot aan de poort. Er werd geen woord gezegd. Ik wist niet waar jij was en jij wist niet waar ik was. Ik hinkte weg tot ik bij de oever van de rivier kwam, en daar ben ik op een beschutte plek in elkaar gezakt, en daar heb jij me uiteindelijk gevonden.

VERGILIUS: Ik heb hier en daar geïnformeerd. Ik was bang dat mijn vragen argwaan zouden wekken. Ik was bang dat ze me zouden oppakken. Maar ik moest je zien te vinden. Ten slotte ben ik naar het adres gegaan waar je had gewerkt. De familie had je eruit gegooid en ze wisten niet waar je was, maar toen ik wegging kwam er een dienstmeisje zeggen dat ze van iemand had gehoord die het weer van iemand anders had gehoord dat je naar dat-en-dat politiebureau was gebracht. Ik ben erheen gegaan, heb voorzichtig een en ander gevraagd en daarna ben ik in steeds grotere cirkels gaan zoeken, onder bruggen, in steegjes, achter struiken, tot ik je vond.

BEATRICE: De eerste plek waar je me aanraakte was mijn nek.

VERGILIUS: Ja, dat weet ik nog.

BEATRICE: Hier.

VERGILIUS: Daar.

BEATRICE: Je zachte, kleine hand.

VERGILIUS: Je zachte, warme nek.
(*Ze beginnen te huilen.
Beatrice valt in slaap.
Stilte.*)

De stilte in het toneelstuk duurde erbuiten voort. De taxidermist zei geen woord meer, en Henry was sprakeloos. Dat kwam niet alleen door de uitgebreide, stelselmatige marteling van een ezel. Er was iets anders wat hem bezighield, een detail over de leider van de marteling. Beatrice had hem beschreven als een 'lange man, vel over been'. Die tweede aanduiding was zo opvallend dat het bij Henry heel even een gruwelijk beeld had opgeroepen van botten met een gevilde huid eroverheen. Tot hij bedacht wat er eigenlijk mee bedoeld werd: broodmager, geen greintje vet. Het beeld liet Henry niet los. Een lange man, vel over been. Hij keek naar de taxidermist. Misschien was het toeval.

'Nou, dat was schokkend,' zei Henry ten slotte.

De taxidermist reageerde niet.

'Bij de personages in het stuk noemt u ook een jongen en zijn twee vrienden. Wanneer worden die opgevoerd?' informeerde Henry.

'Helemaal aan het eind van het stuk.'

'Dan komen mensen opeens uw dierenallegorie verstoren.'

'Dat klopt.' Daar liet de taxidermist het bij, hij keek uitdrukkingsloos.

'Wat gebeurt er met die jongen?'

De taxidermist pakte een paar vellen papier.

'Vergilius heeft net de inhoud opgelezen van de versteldoos, voor zover die af is. U weet nog van de versteldoos?'

'Zeker.'

Hij begon te lezen:

BEATRICE: Dat is een goed begin.

VERGILIUS: Vind ik ook.

(*Stilte.*)

VERGILIUS: De Verschrikkingen zijn een vies overhemd dat nodig gewassen moet worden.

BEATRICE: Dat klopt. Een smerig overhemd.

(*Stilte.*
*Een gerucht aan de zijkant.*)

DE JONGEN: (*komt uit de bosjes tevoorschijn, met een geweer in de hand, kijkt verbaasd als hij Vergilius en Beatrice ziet*) Wat nu?

(*Zijn twee vrienden duiken achter hem op. Vergilius en Beatrice gaan staan en kruipen dicht tegen elkaar aan.*
*Niets en niemand beweegt. De haren van Vergilius staan overeind. De oren van Beatrice liggen plat tegen haar kop. Ze zijn te bang om zich te verroeren, en bovendien verzwakt van de honger.*)

'Ze herkennen de jongen,' onderbrak de taxidermist zichzelf. 'De dag daarvoor had die jongen in het dorp waar ze verbleven aangezet tot afschuwelijke dingen.'

'Ga door,' zei Henry.

De taxidermist las:

DE JONGEN: (*niet langer beduusd, met een glimlach*) Wacht eens even. (*Hij zwaait met zijn wijsvinger.*) Ik ken jullie. Ik heb jullie eerder gezien. (*Hij begint te lachen.*) Waar zijn jullie heen gegaan? Hoe kan het dat jullie zomaar waren verdwenen? (*Hij komt branieachtig dichterbij. Tegen zijn vrienden.*) Ik ken ze wel. (*Tegen Vergilius en Beatrice.*) Wij gaan die kant op. Er is nog meer werk te doen, als je snapt wat ik bedoel. (*Dezelfde vanzelfsprekende, stoere loop, dezelfde glimlach als gisteren in het dorp. Zijn twee vrienden spelen het spel mee en omcirkelen de twee dieren zogenaamd achteloos.*) Snappen jullie wat ik bedoel?

VERGILIUS: (*wanhopig, tegen Beatrice*) Beatrice, Beatrice, weet je het nog? Een zwarte kat en tennislessen. Laten we ons verstoppen in de Verschrikkingen, op een rij in het midden. En onthoud goed: holle vrolijkheid geuit in doodsnood. We moeten van elk moment genieten. Wees nu gelukkig. Wees gelukkig. Ik ben zo gelukkig met jou, ontzettend gelukkig. Laten we dansen op onze porseleinen schoenen. Alles komt goed. Ik lach en ik schater en ik ben gelukkig. Ik ben een en al vreugde [*sic! sic! sic!*]. (*Ondertussen maait hij voortdurend met zijn hand voor zijn borst, wijst met twee vingers omlaag en laat zijn hand dan zakken, telkens maar weer: hij maakt het eerste handgebaar van de Verschrikkingen.*)

DE JONGEN: Wat wauwel je toch, gekke ouwe aap?

BEATRICE: (*met trillende stem*) J-ja! Ik ben ook g-gelukkig. Ik ben heel gelukkig.

DE JONGEN: Wat ben ik nu blij.

(*De jongen haalt soepel uit met zijn geweer en slaat met de kolf hard tegen Vergilius' kop. Vergilius heeft de klap niet zien aankomen en doet geen poging weg te duiken. Een krakend geluid. Vergilius' adem stokt en hij valt om. Beatrice schreeuwt en zakt in elkaar. Het linkergedeelte van Vergilius' schedel is ingeslagen en de voorhoofdskwab beschadigd, wat leidt tot een bloeding in de hersenen. Vergilius probeert wanhopig om bij kennis te blijven en zich vast te klampen aan Beatrice, maar het leven vloeit snel uit hem weg. De volgende klappen die de jongen met de geweerkolf uitdeelt zijn overbodig. Vergilius wordt zwaar gehavend in zijn gezicht: het kaakbeen en het linkerjukbeen worden gebroken, evenals verscheidene boven- en ondertanden en de rechteroogbol. Aan de rechterkant breken een paar ribben, plus zijn rechterdijbeen. Na de bewusteloosheid treedt al snel de dood in.*

*Beatrice wordt tegen de grond gedrukt, geslagen met de geweerkolf en geschopt. Intussen probeert ze met een hoef bij Vergilius te komen en ze schreeuwt dat ze gelukkig is met Vergilius, heel gelukkig, en dat de Verschrikkingen een vies overhemd zijn dat nodig gewassen moet worden, en ze zoekt nog een woord, haar eigen woord, een éénlangwoord; ten slotte roept ze 'Aukitz!' maar daarna valt ze in een stille leegte van pijn en angst.*

*Als ze haar loslaten ziet ze kans zich zo ver uit te strekken dat ze Vergilius kan aanraken. Ze wordt doorboord door drie kogels, één blijft steken in haar schouder, één gaat haar borst in en weer uit, gaat daarbij rakelings langs het hart, en de laatste belandt via de linkeroogbal in haar hersens, wat de directe doodsoorzaak is.*

*In het voorbijgaan ziet de jongen de eigenaardige tekens op de rug van Beatrice. Hij strijkt eroverheen, een gebaar ingegeven niet alleen door nieuwsgierigheid maar ook door vernietigingsdrang.*

*De jongen haalt een mesje tevoorschijn en snijdt Vergilius' staart af. Terwijl hij en zijn vrienden weglopen zwiept hij de zachte staart als een zweep door de lucht. Een eindje verderop mikt hij de staart achteloos op de grond.)*

De taxidermist zweeg.

‘En zo eindigt het stuk?’ vroeg Henry.

‘Zo eindigt het stuk. Daarna valt het doek.’

De taxidermist stond op en liep naar een van de werkbanken. Een ogenblik later volgde Henry hem. De taxidermist stond te kijken naar enkele pagina’s die hij netjes had uitgespreid.

‘Wat is dat?’ vroeg Henry.

‘Een scène waar ik nog mee bezig ben.’

‘Waar gaat het over?’

‘Gustav.’

‘Wie is Gustav?’

‘Gustav is een naakte dode die al de hele tijd vlak bij de boom van Vergilius en Beatrice ligt.’

‘Een dood méns? Nog een mens?’

‘Ja.’

‘Die ligt daar zomaar open en bloot?’

‘Nee, onder de struiken. Vergilius vindt hem.’

‘En ze hadden het lijk nog niet geroken?’

‘Soms stinkt het leven net zo erg als de dood. Ze hadden het niet geroken.’

‘Hoe weten ze dat hij Gustav heet?’

‘Dat weten ze niet. Vergilius noemt hem zo om hem een naam te geven.’

‘Waarom is hij naakt?’

‘Ze vermoeden dat hij zich heeft moeten uitkleden en dat hij daarna is doodgeschoten. Waarschijnlijk was de rode lap stof van hem. Wie weet was het een marskramer.’

‘Waarom blijven ze daar? Als ze een lijk vinden zou het toch een natuurlijke reactie zijn om ervandoor te gaan?’

‘Ze beschouwen het als een plek waar al geplunderd is en die nu dus veilig is.’

'Wat doen ze met Gustav? Begraven ze hem?'

'Nee, ze doen spelletjes.'

'Spélletjes?'

'Ja. Dat is ook een manier, ontdekken ze, om over de Verschrikkingen te kunnen praten. Die zit ook in de versteldoos.'

Inderdaad, Henry kon het zich herinneren: spelletjes voor Gustav.

'Is het niet vreemd om spelletjes te gaan doen terwijl er een lijk pal naast je ligt?' vroeg Henry.

'Ze verbeelden zich dat Gustav het leuk zou hebben gevonden als hij nog had geleefd. Spelletjes doen is een manier om het leven te vieren.'

'Wat voor spelletjes?'

'Dat wilde ik u juist vragen. Ik hoopte dat u er een paar kon verzinnen. U lijkt me wel ludiek.'

'Verstoppertje bijvoorbeeld?'

'Ik heb liever iets intellectuelers.'

'U had het over afschuwelijke dingen die in gang waren gezet door de jongen die Beatrice en Vergilius doodt.'

'Ja.'

'Hebben Beatrice en Vergilius dat allemaal gezien?'

'Ja.'

'Wat hebben ze gezien?'

De taxidermist reageerde niet. Henry wilde zijn vraag herhalen, maar bedacht zich. Hij wachtte af. Na lange tijd hernam de taxidermist het woord.

'Eerst zagen ze het niet. Ze hoorden alleen iets. Ze stonden in de struiken bij de dorpsvijver water te drinken en hoorden gegil. Toen ze opkeken zagen ze twee jonge vrouwen – ze hadden lange rokken en zware boerenschoenen aan – naar de vijver toe rennen, met iets tegen hun borst geklemd. Ze werden achtervolgd door een paar mannen, die hen niet echt opjoegen maar het zo te zien wel leuk vonden dat de vrouwen op de vlucht waren geslagen. Op het gezicht van de vrouwen stonden angst en wanhopige vastberadenheid te lezen. Vlak na elkaar waren ze bij de vijver. Ze renden er allebei zonder aarzeling in. Toen het water tot boven hun knieën reikte lieten ze hun pakketjes vallen.

Op dat moment zagen Vergilius en Beatrice dat de pakketjes ingebakerde baby's waren. De vrouwen duwden hun kind gedecideerd onder water. Zelfs nadat er geen luchtbelletjes meer bovenkwamen toonden ze geen enkele aarzeling, hun armen verslapten niet. Integendeel, de vrouwen liepen steeds dieper de vijver in, schopten tegen hun rokken, struikelden maar wisten overeind te blijven. De mannen die langs de rand van de vijver stonden – het waren er een stuk of tien – schoten de vrouwen niet te hulp, nee, ze jouwden hen uit.

Toen een van de vrouwen, die tot over haar middel in de zwarte vijver stond, zeker wist dat haar kind niet meer in leven kon zijn – ze bleef het onder water houden – stortte ze zich halsoverkop voorover en verdronk onmiddellijk. Zij noch haar kind kwam nog boven. Beiden zonken naar de bodem. De andere vrouw probeerde hetzelfde te doen, maar het lukte haar niet, zelfs niet toen het duidelijk was dat ook haar kind dood was. Ze kwam steeds naar adem snakkend boven, hoestend en proestend, tot groot vermaak van de mannen, die haar goede raad toeschreeuwden over hoe ze zich het beste kon verdrinken. De dood van de eerste vrouw had zich voltrokken met de snelheid van de zwaartekracht, de dood van de tweede vrouw duurde echter veel langer. Minutenlang stond ze daar te rillen en naar het water te staren, waarna ze naar de mannen op de oever keek en een nieuwe verdrinkingspoging deed – dat alles zonder enig vertoon of enige poging om contact te maken, maar met de duistere blik van iemand die zelfmoord wil plegen. Haar kind was dood en zij was vastbesloten het zo gauw mogelijk te volgen. Na een laatste blik hemelwaarts tilde de vrouw het doorweekte pakketje uit het water, drukte het kind tegen haar borst, gooide zich met kracht voorover en wist zo haar dagen te beëindigen. Een hand die graaiend boven water kwam, een modderige schoen die machteloos omhoogschopte, een bol stukje rok dat even bleef drijven – en ze was weg. De rimpels vervlakten en de vijver lag er weer rustig bij. De mannen juichten en liepen door.'

'En wat deden Beatrice en Vergilius intussen?' vroeg Henry zachtjes.

'Ze verroerden zich al die tijd niet en maakten geen enkel gerucht, en ze bleven onopgemerkt. Zodra de mannen zich hadden verspreid vluchtten ze weg uit het dorp. De beelden achtervolgden hen. Beatrice zag nog steeds het gezichtje van een van de baby's, de eerste die werd verdronken: een vaag maar uitdrukkingsvol roze, en een klein ontsnapt handje dat naar de moeder tastte. Vergilius werd geplaagd door een ander gezicht, dat van een jongen van hooguit zestien, zeventien. Tijdens de achtervolging van de vrouwen vertraagde hij zijn pas om aarde in hun richting te schoppen, wat een wolk zand en kiezels opwierp: het been waarmee hij schopte werd hoog geheven terwijl hij met een sprongetje op het andere been tot stilstand kwam – dat alles met de soepele veerkracht van de jeugd, vergezeld van een schreeuw en een juichkreet. Daarna rende hij weer achter de vrouwen aan. Hij was een van de drukste en lawaaiigste jongens op de kant.'

'En hém zijn ze een paar dagen daarna tegengekomen?'

'Ja, dat heb ik u net voorgelezen,' antwoordde de taxidermist.

'Nadat ze het dorp zijn ontvlucht komen ze op de plek waar ze dat gesprek over een peer hebben?'

'Inderdaad.'

Er viel een stilte, het soort stilte waarin de taxidermist zich zo goed op zijn gemak voelde, in het echt en in zijn stuk, de stilte waarin iets kan groeien of kan vergaan.

De taxidermist nam als eerste weer het woord. 'Ik heb hulp nodig met de spelletjes die Vergilius en Beatrice gaan spelen.'

De woorden 'spelletjes' en 'spelen', maar dan uitgesproken

met uiterst sombere stem en op uiterst duistere toon. Henry's hoofd begon ervan te bonken.

'Hoe zit het met de jongen in uw stuk, wat gebeurt er met hem nadat hij Beatrice en Vergilius doodmaakt? Komt dat nog voor in uw dierenallegorie?'

'Nee. Ik beperkt me tot de dieren. Ik wil geen spelletjes waar een bord of dobbelstenen en dergelijke aan te pas komen.'

Henry moest denken aan het verhaal dat de taxidermist hem had gestuurd, 'De legende van de heilige Julianus de Gastvrije'. Nu begreep Henry de levendige belangstelling van de taxidermist voor het verhaal van Flaubert: Julianus slacht vele onschuldige dieren af, maar dat staat zijn redding niet in de weg. Het verhaal biedt verlossing zonder berouw. Dat sprak iemand die iets te verbergen had natuurlijk wel aan.

De kruidenier verderop in de straat had hem goed ingeschat, besefte Henry: een ouwe gek. Sarah had hem in één oogopslag goed ingeschat: een engerd. De ober in het café had hem goed ingeschat. Hoe kwam het dat hij er zo lang over had gedaan en het nu pas zag? Hij verkeerde in het gezelschap van een smerige ouwe nazisympathisant, die zich nu opwierp als de grote beschermer van de onschuldigen. Neem de doden en zorg dat ze er goed uitzien. Kon moordzuchtig irrationalisme beter worden verpakt en verborgen? Taxidermie, ja ja. Nu begreep Henry waarom alle dieren in de winkel zo stil waren: ze waren doodsbang voor de taxidermist. Henry huiverde. Het liefst zou hij zijn handen, zijn ziel, voorgoed van deze man schoonwassen. Hij voelde zich door hem bezoedeld.

Henry keek de taxidermist aan. 'Ik ga weg,' zei hij.

'Wacht even,' antwoordde de taxidermist.

'Waarom?' vroeg Henry bits.

'Neem mijn stuk mee.' De taxidermist maakte een stapeltje van de pagina's op de werkbank, een stuk of zeven, acht. 'U mag het hele stuk hebben.' Hij liep naar zijn bureau en vergaarde haastig alle vellen papier die daar lagen. 'Lees het maar, dan hoor ik wel wat u ervan vindt.'

'Ik wil uw stuk helemaal niet hebben. U mag het houden,' zei Henry.

'Waarom niet? Ik zou ermee geholpen zijn.'

'Ik wil u niet helpen.'

'Maar ik werk er al zo lang aan.'

'Dat kan me niet schelen.'

Henry keek naar Beatrice en Vergilius. Er ging een steek van droefheid door hem heen. Hij zou ze nooit meer zien. Zulke prachtige dieren.

Hij richtte zijn aandacht weer op de taxidermist, want de man was bezig zijn toneelstuk in Henry's jaszakken te proppen. Henry haalde de vellen papier er weer uit en legde ze met een klap op de werkbank.

'Ik wil dat rotstuk van u helemaal niet hebben, zei ik toch. Hier, deze mag u ook terug.'

Henry haalde de fragmenten tevoorschijn die hij bij zich had, en gooide ze neer. De vellen papier dwarrelden naar de grond en schoten alle kanten op.

'Goed, gelijk oversteken dan,' zei de taxidermist rustig.

Heel even wendde hij zich af. Toen hij zich weer naar Henry toe draaide had hij een kort, stomp mes in zijn hand. Hij stak op Henry in. Zonder enige haast. Terwijl hij Henry aankeek stootte hij hem het mes in zijn lijf, vlak onder de ribben. Het duurde een ogenblik voordat Henry besefte wat er was gebeurd. De pijn werd eventjes gedempt door immens ongeloof. De taxidermist stak opnieuw toe, maar ditmaal hief Henry instinctief zijn handen, die de steek gedeeltelijk opvingen.

'Hè, wat…?' hijgde Henry.

Henry voelde iets nats onder zijn overhemd, en zijn handen zaten onder het bloed. Opeens schoot er een stoot van angst en pijn door hem heen. Er ontsnapte hem een jammerend geluid.

Hij pakte de werkbank beet om niet te vallen, draaide zich om en liep met loden voeten naar de deur van de werkplaats. Waarschijnlijk rende hij, maar hij had het idee dat hij slofte. Met elke hartenklop ging er een schok door zijn lichaam en stroomde er nog meer bloed uit hem weg. Hij was verlamd door de angst dat de taxidermist hem zou inhalen en hem zou afmaken. De woorden 'Sarah! Theo!' pulseerden door zijn hoofd.

Hij was bij de deur. Toen hij zich half omdraaide om erdoorheen te gaan ving hij een glimp op van de taxidermist. Met een onaangedaan gezicht en het rode mes nog in de hand kwam de man achter hem aan.

Henry wankelde tegen de tijgers aan en kwam ten val. De pijn die door zijn middenrif sneed was zo fel en onbeheersbaar dat hij niet zozeer overeind krabbelde als wel in één ruk weer rechtop stond, alsof hij een marionet was die aan de touwtjes omhoog werd getrokken. Zo snel hij kon begaf hij zich naar de voordeur van de winkel. Zou die op slot zitten? Hoe dichter hij bij de deur kwam, hoe onwaarschijnlijker het leek dat hij het zou halen. Er zou een hand op zijn schouder worden gelegd. Erger nog, het mes van de taxidermist zou in zijn rug gestoken worden.

Henry worstelde met de deurkruk. De deur zat niet op slot en ging langzaam en zwaar open. Henry stortte zich naar buiten en strompelde over de stoep de straat op. Er kwam net een auto aan. Hij ging ervoor staan. De auto remde, en hij zeeg op de warme motorkap in elkaar. Het kan zijn dat hij tot dan toe had gekreund. Nu gilde hij zo hard hij kon, hoewel hij tegelijkertijd bloed door neus en mond begon uit te blazen en te hoesten. De twee vrouwen in de auto stapten uit, en toen ze zagen hoe hij eraan toe was begonnen ook zij te gillen. De kruidenier kwam naar buiten gerend. Er verschenen nog meer mensen die door het rumoer waren gealarmeerd. Henry was nu vast en zeker in veiligheid. Er wordt toch zeker geen moord gepleegd in het openbaar, in het bijzijn van zo veel getuigen?

Terwijl zich net binnen zijn gezichtsveld vaag mensen verdrongen, keek Henry om naar Okapi Taxidermie, want hij was nog steeds bang dat de taxidermist achter hem aan kwam. Maar de man was binnen gebleven. De taxidermist keek doodgemoedereerd door de ruit van de gesloten deur, alsof hij stond te genieten van het zonnige weer. Hun ogen ontmoetten elkaar. Hij glimlachte Henry toe. Het was een echte lach, waar zijn gezicht van straalde. Hij had een mooi gebit. Henry herkende hem haast niet. Was dit de holle vrolijkheid geuit in doodsnood, maar dan in de versie van de taxidermist? De man draaide zich om en liep zijn winkel in, alsof de commotie voor de deur hem niet interesseerde. Henry zakte in elkaar, verdronk in een inwendige zee van bloed.

Nog voordat de ambulance was gearriveerd, sloegen de vlammen al uit Okapi Taxidermie. De brandweer kon weinig uitrichten. Door al het hout, al die droge vachten en al die ontvlambare chemicaliën brandde de winkel snel en fel. Een brullend inferno.

Met taxidermist en al.

Bij een gezond mens is een bot dat goed is geheeld op de plek van de breuk het sterkst. Je leven is niet bekort, hield Henry zich voor. De jaren die je zijn toegemeten krijg je heus nog wel. Maar de kwaliteit van zijn leven veranderde. Ben je eenmaal met geweld in aanraking gekomen, dan krijg je metgezellen waar je nooit meer helemaal van afkomt: Argwaan, Angst, Onzekerheid, Wanhoop, Vreugdeloosheid. Je raakt je vanzelfsprekende glimlach kwijt en de eens vanzelfsprekende genoegens verliezen hun aantrekkingskracht. Voor Henry was de stad bedorven. Sarah, Theo en hij zouden er niet lang meer blijven. Alleen, waar zouden ze dan gaan wonen? Waar zouden ze het geluk vinden? Waar zou hij zich veilig voelen?

Het speet Henry dat hij Beatrice en Vergilius niet had gered.

Hij miste ze zo schrijnend dat hij er jaren later nog last van had. Het was dezelfde pijn die hij voelde als hij lang weg moest bij Theo: een fysiek verlangen naar aanwezigheid. Hij sprak zichzelf streng toe. Beatrice en Vergilius bestonden niet, niet echt: het waren maar personages in een toneelstuk, en ook nog eens dieren, dode dieren. Dus wat betekende 'redden' eigenlijk? Toen hij kennis met ze maakte waren ze al verloren. Maar dat veranderde niets aan het feit dat hij ze vreselijk miste. In gedachten zag hij ze weer in de werkplaats van de taxidermist staan, Vergilius en Beatrice ieder in hun karakteristieke houding – hij probeerde zich een zo duidelijk mogelijk beeld te vormen. Maar ze vervaagden, want zo gaat dat met herinneringen aan uiterlijkheden.

Alles wat restte was hun verhaal, dat onvoltooide verhaal van praten en van wachten in hoop en vrees. Een liefdesverhaal, was Henry's slotsom. Verteld door een krankzinnige die hij nooit had kunnen doorgronden, maar toch een liefdesverhaal. Henry vond het jammer dat hij het stuk van de taxidermist niet had meegenomen. Ook dat speet hem, dat hij zo door woede verblind was geweest. Maar sommige verhalen zijn voorbestemd om verloren te gaan, althans gedeeltelijk.

Later bekeek Henry wel eens foto's van brulapen, vrijwel altijd hoog in tropische bomen genomen, maar doordat het zo duidelijk wilde dieren waren kon hij er met geen mogelijkheid iets van Vergilius in zien. Met ezels lag het daarentegen anders. In een kerststal met levende dieren ging Henry op een keer dicht naar de ezel toe, die hem aankeek en, alsof hij hem herkende, met zijn kop schudde, zijn oren spitste en een zacht snuivend geluid maakte. Waarschijnlijk was het dier alleen maar uit op iets lekkers. Met zijn verstand wist Henry dat wel. Niettemin fluisterde hij haar naam – 'Beatrice!' – en schoten de tranen hem in de ogen. Elke keer dat hij een ezel zag moest hij verdrietig en treurig aan Beatrice en Vergilius denken.

Nadat hij was neergestoken zette Henry zich ertoe alle herinneringen boven te halen en nauwgezet op te schrijven wat hem was overkomen. Om zijn geheugen een handje te helpen verdiepte hij zich in de taxidermie. Alle weetjes en feiten die hem bekend voorkwamen noteerde hij, en op die manier bouwde hij het essay dat de taxidermist hem had voorgelezen weer op. In een tijdschrift over taxidermie vond hij een artikel over de taxidermist, met waardevolle foto's: ze vormden de grondslag voor de reconstructie van Okapi Taxidermie in zijn gedachten. De kern van het verhaal, het toneelstuk van de taxidermist, was het moeilijkst te herscheppen. De zon van het geloof ging vooraf aan de gulle bries, maar wat kwam er eerst, de zwarte kat of de drie gefluisterde moppen? Het meest ongrijpbaar waren die punten in de versteldoos waarover de taxidermist nooit iets had gezegd, zoals het lied, het gerecht, de overhemden met maar één mouw, de porseleinen schoenen, de praalwagen. Toch zag Henry kans om stukje bij beetje en nauwgezet delen van het stuk weer op te bouwen.

Toen hij in het ziekenhuis na de bloedtransfusies en de operatie in bed lag bij te komen, gaf de verpleegkundige hem een vel papier: gescheurd, verkreukeld en bebloed. Ze zei dat het van hem was, dat hij het bij zich had gehad. Henry herkende het. Nadat hij was gestoken had hij zich omgedraaid, waarschijnlijk zijn hand op de werkbank gelegd en onbedoeld een pagina van het toneelstuk van de taxidermist gepakt. Tijdens alles wat volgde was de helft afgescheurd en verloren gegaan.

Door een handafdruk van bloed heen – achter het rood schemerden de woorden als blauwe plekken op een huid – las Henry het enige fragment van het toneelstuk dat bewaard was gebleven. Het ging over het lijk dat Vergilius en Beatrice bij de boom vinden.

Vergilius: We hebben gedaan wat we konden. We hebben kranten aangeschreven. We hebben gedemonstreerd en geprotesteerd.

| | |
|---|---|
| | We hebben gestemd. Waarom zouden we dan daarna niet vrolijk zijn? Als we niet meer vrolijk zijn zwichten we voor hen. |
| Beatrice: | Naast een lijk? |
| Vergilius: | Laten we hem een naam geven. We noemen hem Gustav. Ja, laten we naast Gustav spelletjes doen, dat is goed voor Gustav. |
| Beatrice: | Gustav? |
| Vergilius: | Ja, spelletjes voor Gustav. |

Henry gaf het verhaal over de messteken eerst de titel *Een twintigste-eeuws overhemd.* Dat veranderde hij in *Henry de taxidermist.* Ten slotte koos hij voor een titel die de kern van de confrontatie raakte: *Beatrice en Vergilius.* Voor Henry was het een feitelijk verslag, een gedenkschrift. Maar nog in het ziekenhuis, voordat hij aan *Beatrice en Vergilius* begon, schreef Henry eerst iets anders. Hij noemde het *Spelletjes voor Gustav.* De tekst was te kort voor een roman, te onsamenhangend voor een kort verhaal, te realistisch voor een gedicht. Wat het ook was, het was de eerste fictie die Henry in jaren had geschreven.

# Spelletjes voor Gustav

## SPEL EEN

Je zoon van tien zegt iets tegen je.
Hij heeft bedacht hoe hij aan aardappels
kan komen voor je gezin dat honger lijdt.
Als hij wordt betrapt, wordt hij gedood.
Laat je hem gaan?

## SPEL TWEE

Je bent kapper.
Je bent aan het werk, er zitten veel mensen in de zaak.
Je scheert ze kaal en daarna worden ze weggevoerd
en gedood.
Je doet dat dag in, dag uit. Er wordt een nieuwe groep
binnengebracht.
Je herkent de vrouw en de zuster van een goede vriend.
Zij herkennen jou ook, met vreugde in hun ogen.
Jullie omhelzen elkaar.
Ze vragen je wat er met ze gaat gebeuren.
Wat zeg je dan?

## SPEL DRIE

Je hebt je kleindochter bij de hand.
Na de lange reis zonder eten en drinken voelen
jullie je beroerd.
Jullie worden door een soldaat samen naar de
'ziekenafdeling' gebracht.
Dat blijkt een kuil te zijn waar de mensen worden
'genezen met een enkele pil', zoals de soldaat het noemt,
dat wil zeggen: met een enkel schot in het achterhoofd.
De kuil ligt vol lichamen, sommige bewegen nog.
Voor je staan zes mensen in de rij.
Je kleindochter kijkt naar je op en stelt je een vraag.
Hoe luidt die vraag?

## SPEL VIER

Een gewapende bewaker zegt dat je moet zingen. Je zingt.
Hij zegt dat je moet dansen. Je danst.
Hij zegt dat je moet doen alsof je een varken bent.
Je doet alsof je een varken bent.
Hij zegt dat je zijn schoen moet likken. Je likt zijn schoen.
Dan zegt hij dat je moet '———'
maar dat is een woord in een taal die je niet verstaat.
Welke handeling voer je dan uit?

## SPEL VIJF

Je wordt onder schot gehouden en krijgt het bevel
dat jij en je gezin en alle mensen om je heen
zich moeten uitkleden.
Je bent samen met je vader van tweeënzeventig,
je moeder van achtenzestig,
je echtgenote, je zuster, een nicht
en je drie kinderen van vijftien, twaalf en acht.
Als je je hebt uitgekleed waar kijk je dan naar?

## SPEL ZES

Je gaat sterven.
Naast je staat een vreemde. Hij draait zich naar je toe.
Hij zegt iets in een taal die je niet verstaat.
Wat doe je dan?

## SPEL ZEVEN

Je dochter is dood, geen twijfel mogelijk.
Als je op haar hoofd gaat staan kom je iets hoger
en daarboven is meer frisse lucht.
Ga je op het hoofd van je dochter staan?

## SPEL ACHT

Na afloop, als het allemaal voorbij is, ben je bedroefd.
Je droefheid is allesverslindend en altijd aanwezig.
Je wilt eraan ontsnappen.
Wat doe je dan?

## SPEL NEGEN

Na afloop, als het allemaal voorbij is, kom je God tegen.
Wat zeg je tegen God?

## SPEL TIEN

Na afloop, als het allemaal voorbij is, vang je een mop op.
Bij de clou slaken de toehoorders een gesmoorde kreet,
ze slaan hun hand voor hun mond
en beginnen dan te brullen van het lachen.
De mop gaat over jouw ellende en jouw verlies.
Hoe reageer je dan?

## SPEL ELF

Je gemeenschap telde 1650 zielen, 122 hebben het overleefd.
Je hoort dat je hele familie dood is,
dat je huis door vreemden is overgenomen,
dat al je bezittingen zijn gestolen.
Je hoort ook dat het nieuwe bewind
met een schone lei wil beginnen en de fouten uit
het verleden wil rechtzetten.
Ga je terug naar huis?

## SPEL TWAALF

Een dokter zegt tegen je:
'Deze pil wist je geheugen.
Je vergeet al je ellende en al je verlies.
Maar je vergeet ook je hele verleden.'
Slik je die pil?

SPEL DERTIEN